Modern Greek

For Classicists

A Graded Reader

by Ilias Kolokouris

First printing, February 2020

ISBN: 978-1-7340189-4-3

The Paideia Institute for Humanistic Study, Inc.

75 Varick Street, 11th Floor

New York, NY 10013

www.paideiainstitute.org

TABLE OF CONTENTS

PROLOGOS / FORWARD

"Modern Greek and Ancient Greek," said a well-known linguist, "are two separate systems. They cannot be described simultaneously. That is impossible!" Hence, this book is aiming for the impossible.

Under the aegis of the Paideia Institute, whose mission is to make the classical humanities accessible to more people than ever before, *Modern Greek for Classicists* aims to generate interest in both Ancient and Modern Greek culture at once.

Too often, ancient and modern Greece are presented as two separate worlds. Students of ancient Greek are even told to avoid learning modern Greek, because it will confuse them. This may be due to neo-colonialist attitudes towards Greek, Greece, and Greeks, as scholars like Johanna Hanink have suggested. In any event, it is an unfortunate way for Greek to be presented, because it robs students of ancient Greek of a chance for their study to feel relevant and connected with a living tradition. At the same time, it presents Ancient Greek to learners of the modern language as something arcane, obscure and inaccessible.

In point of fact, Ancient and Modern Greek are very closely related, and the study of one supports and enriches that of the other. This happens both because of the interest and pride that today's Greeks take in their ancient history and culture and, more specifically, thanks to the work of Greek classicists like Adamantios Korais, who augmented the Greek language with ancient vocabulary, and classicized its grammar as they created the communication system known as *Katharevousa.*

The result of this centuries-long process of careful attention to the Greek language has produced a Demotic spoken by Modern Greeks today that is deeply imbued with Ancient Greek. The two languages are much closer to each other than, for example, Latin is to Italian: the language of Plato is not a foreign language to Modern Greek speakers in the sense in which the language of Horace is to Italian speakers. The relationship between Modern and Ancient Hebrew would be a closer comparison.

Modern Greek for Classicists is not an introductory Modern Greek textbook, but rather a reading companion for those who have already had some exposure to the Greek world — be it a solid foundation in Ancient Greek, some knowledge of the Greek alphabet acquired while studying Latin, or even just a few set phrases memorized to communicate with locals during a trip to Greece.

We aim to build upon such foundations to expand access to the fascinating culture, literature, and society of Modern Greece. The author of this book is a classicist and linguist who believes that Attic Greek and Modern Greek are close relatives. The myths of the past and the roots of ancient words live on in the language of today.

This book is structured as a graded reader, with fictional narratives in Modern Greek, followed by comprehension and discussion questions designed to facilitate language acquisition. Each dialogue has a limited set of vocabulary, and the grammar moves from the more simple to the more complex. Animated videos accompany and expand upon the main story.

How does this book teach Modern Greek? Incremental repetition and progressively more complex readings play a key role in our pedagogical approach. The Rassias method and Stephen Krashen's Comprehensible Input theory also influence our pedagogy: we believe, with Rassias and Krashen, that when highly motivated learners are given confidence in their abilities and an environment with low levels of anxiety, they will be better equipped for success in second language acquisition.

This is why we strongly encourage teachers and students to become risk-takers and feel free to make mistakes without fearing judgement and constant corrections. We want each lesson to be a playful, enjoyable activity. To that end, dialogues and animated videos will stimulate humor and fun throughout the learning experience.

Most importantly, this book is designed to feel yours. You can read it at your own pace, whenever and wherever you prefer, with whomever you wish. As you go on to use this book, you will notice that learning Modern Greek is both feasible and inspiring. If you are looking for further assistance, you can contact us (info@paideia-institute.org) at any time for online classes and learner support services.

Bozaitika, Patra, Achaia, Greece

December 2019

Ilias Kolokouris

ACKNOWLEDGMENTS

I would like to thank the President of Paideia Institute for Humanistic Study, Jason Pedicone, for his constant interest and discipline in learning and promoting modern Greek language and literature. Under his leadership and with Joseph Conlon's collaboration, the Institute has given priceless feedback concerning the plot of this book. Had it not been for Jamel Daugherty's consistent dexterity and creative expertise in curriculum design, the book would have its unique layout and design. Kudos and κύδος to you, etymologically or paretymologically. She worked with our graphic designer, Meg Prom, and together they gave *Modern Greek For Classicists* its shape. Furthermore, Jonathan Meyer and Marco Romani (my "fratello"), offered advice and edited the front and back matter of this reader. I wish to thank Nick Germanacos for the care, inspiration, and work he has devoted to the culture and language of modern Greece. A self-ordained professor's tongue too serious to fool was the one who believed this book could never be. But here it is. Lastly, I feel obliged to thank my Academic Supervisor, Professor Christina Dounia at the National and Kapodistrian University of Athens, for bearing with me as she awaits my doctoral dissertation on Modern Greek Aestheticism.

ΤΟ ΝΕΟ ΕΛΛΗΝΙΚΟ ΑΛΦΑΒΗΤΟ

The modern Greek Alphabet is similar to the ancient Greek Alphabet in terms of graphemes. There have been differences in pronunciation, however, ever since the heyday of ancient Thebes, according to certain scholars. This more "phonetic" pronunciation, so to speak, which you have already learned, will be simplified during this course. In ancient Greek there is a one-to-one correspondence between what is written and what is pronounced. In Modern Greek this is not the case. In addition, certain phenomena present in Ancient Greek are not found in Modern Greek.

ASPIRATION DISTINCTION (THE H SOUND)

In ancient Greek, Ἑρμῆς is pronounced /hermees/ and therefore spelled out as "Hermes" in English.

The aspirated /h/ sound ("rough breathing") is lost in modern Greek. The same word is written Ερμής, without aspiration. Modern Greek does not have aspirated consonants.

Aspirated consonants were also simplified toward their counterpart:

Σύμφωνα	Αρχαία Ελληνικά	Νέα Ελληνικά	Παράδειγμα
Θ, θ	t^h	/θ/ as in the English word theatre (fricative)	**θέατρο, θέμα, θεός**
Φ, φ	p^h	phi /f/ or /fh/ (voiced fricative, but occasionally more bilabial rather than labiodental)	**φέρω, φάρος, φόνος**
Χ,χ	k^h	chi /χ/ (fricative, as in the German ich)	**χάος, χέρι, χόρτο**

VOICED CONSONANTS

The voiced consonants of ancient Greek lose their voiced quality in modern Greek. With these consonants, in place of a strong use of the lips, there is a more "rolling" sound in modern Greek. Therefore:

Σύμφωνα	Αρχαία Ελληνικά	Νέα Ελληνικά	Παράδειγμα
Β, β	/b/	/v/ as in very, similar to Spanish fricative b but sometimes more bilabial	**βάρος, βάθος, βάλλω**
Δ, δ	/d/	/δ/ = /ð/ as in there, somewhat similar to Spanish fricative d	**δεν, δάσος, δίκη**
Γ, γ	/g/	/γ/ as the sound in year or way, similar to Spanish fricative g	**γάτα, γη, γέρος**

However, the sounds of voiced consonants in ancient Greek continue to exist in modern Greek. They survive in the digraphs shown below. These digraphs occur especially frequently in words of Venetian or Turkish origin, or in ancient Greek words that underwent a change of consonant, e.g. αγκάθι < ἀκάνθιον.

Δίγραφα	Προφορά Νέα Ελληνικά	Παράδειγμα
μπ	/b/	**μπ**αγκέτα, **μπ**αλκόνι
ντ	/d/	**ντ**άμα, έ**ντ**ιμος, **ντ**οκιμαντέρ
γκ	/g/	**γκ**αζόν, **γκ**αρσόνι, α**γκ**άθι

DOUBLE LETTERS

The double consonants of ancient Greek survive in modern Greek. Both letters in the double consonants are pronounced in modern Greek, but owing to the loss of aspiration, they lose their quantity accordingly. Therefore:

Διπλά	Αρχαία Ελληνικά	Νέα Ελληνικά	Παράδειγμα
ξ	/k^hs/	/ks/	ξένος, φιλοξενία, ξανά, ξύλο
ψ	/p^hs /	/ps/	ψάρι, ψέμα, ψωμί
ζ	/zd/	/z/	ζάχαρη, ζενίθ, ζωή

VOICELESS CONSONANTS, LIQUIDS, AND NASALS

The voiceless consonants in ancient Greek remain voiceless in modern Greek, as do liquids and nasals. Therefore:

Άφωνα	Αρχαία Ελληνικά	Νέα Ελληνικά	Παράδειγμα
π	/p/	/p/	πόρτα, πάλι, πόλος
τ	/t /	/t/	τάση, τέμνω, τέλος
κ	/k /	/k/	κάλλος, κρέας, κήτος
σ	/s/	/s/	σάκος, σαλάμι, σαν
Υγρά			**Παράδειγμα**
λ	/l/	/l/	λαός, λαβύρινθος, λέξη
ρ	/r/	/r/	ράκος, ροή, ράδιο
Ένρινα			**Παράδειγμα**
μ	/m/	/m/	μόνος, μάτι, μέλλον
ν	/n/	/n/	νίκη, νέος, ναός

VOWELS

The distinction between long and short vowels was a central characteristic of the ancient Greek language, and made possible limitless variety in meter and poetry. However, there is no such distinction in modern Greek. Simply put, modern Greek has no long and short vowels. Ω-μέγα and Ο-μικρόν sound the same: /o/.

Ε-ψιλον does not sound pitched, but like a plain /e/.

Ήττα, Ιώτα, Ύ-ψιλον, along with some diphthongs, all sound like /i/. In linguistic terms, diphthongs are merely two phthongs in terms of graphemes and not phonemes.

The process by which vowels tend to sound like iota is called Iotacism.

Φωνήεντα	Αρχαία Ελληνικά	Νέα Ελληνικά	Παράδειγμα
α	/a/	/a/	άλλος, άρμα, άτη
ε	/e/ or /ee/	/e/	Ελλάδα, ένα, έπος
η	/ee/	/i/	ήλιος, ήττα, ζωή
ι	/i/	/i/	ίσος, ιατρός, ιδέα
ο	/o/	/o/	όταν, όλον, οδός
υ	/u/	/i/	ύβρη, υγρό, υδρία
ω	/ɔ:/	/o/	ωδή, ωκεανός, ώρα

DIPHTHONGS - ΔΙΦΘΟΓΓΟΙ

In sum, all of the following vowels and diphthongs are pronounced /i/.

ι, η, υ, ει, οι, ηι, υι : /i/

Δίφθογγος	Αρχαία Ελληνικά	Νέα Ελληνικά	Παράδειγμα
αι	/ai/ as in aisle	/e/ as in met	**παί**ζω, **παι**δί, **αί**γα
ει	/ei/ as in eight	/i/ as in see	**ει**κόνα, **εί**δηση, **εί**δος
οι	/oi/ as in oil	/i/ as in see	**οί**κος, **Οι**δίπους, **οι**κονομία
αυ	/au/ as in sauer-kraut	/f/ as in soft (before voiceless consonants) /v/ as in suave (before voiced consonants and vowels)	**αυ**τός, **αυ**τί, **αυ**τάρκης **αυ**λή, δ**αυ**λός, π**αύ**ω Π**αύ**λος
ευ	/eu/ as in feud	/f/ as in chef (before voiceless consonants) /v/ as in eleven (before voiced consonants and vowels)	**ευ**χαριστώ, **ευ**τυχία, **ευ**θύς **ευ**άρεστος, **ευ**ήλιος, **ευ**λογία
ου	/oou/ as in group	/u/ as in book	π**ού**, **Ου**ρουγουάη, **ού**τε
ᾳ	/aa/ saw / saw+(w) it	/a/ as in father	αυτός, **ά**κρη
ῃ	/ee/ as in say / say+(y)it	/i/ as in see	**ή**λιος, **ή**ττα, ζω**ή**
ῳ	/ow/ as in sow/	(omitted)	
ᾱυ	/au/ as in saw+you	(omitted)	
ηυ	/eeu/ as in say+you	(omitted)	
ωυ	/oou/ as in sow+you	(omitted)	
υι	/uee/ as in suite	/i/ as in see	**υι**ός, **υι**οθετώ

ΓΡΑΜΜΑΤΙΚΗ

THE LOSS OF THE DATIVE CASE

Η νέα ελληνική έχει μόνο τρεις πτώσεις. Ονομαστική, Γενική και Αιτιατική.

Modern Greek has only three cases: nominative, genitive, and accusative.

The morphological root of all cases in modern Greek appears to be the ancient accusative. The vocative is replaced by the accusative, as is the dative. In these notes we will explain how it is replaced syntactically.

Η Δοτική πτώση στα νέα ελληνικά υποχωρεί. Στην θέση της δοτικής βλέπουμε την αιτιατική, συνοδευόμενη από προθέσεις. Τα παραδείγματα:

In modern Greek, the dative case is replaced by other cases. The accusative, accompanied by prepositions, can take the place of the dative case.

Examples:

Ονομαστική	ο άνδρας	ὁ ἀνήρ	οι άνδρες	οἱ ἄνδρες
Γενική	του άνδρα	τοῦ ἀνδρός	των ανδρών	τῶν ἀνδρῶν
Δοτική	----------	τῷ ἀνδρί	---------	τοῖς ἀνδράσι
Αιτιατική	τον άνδρα	τόν ἄνδρα	τους άνδρες	τούς ἄνδρας
Κλητική	---------	(ὦ) ἄνερ	---------	(ὦ) ἄνδρες

Instrumental Dative:

MODERN GREEK: *με + accusative*

Locative and indirect Object>

MODERN GREEK: στο(ν), στη(ν), στο, στους, στις, στα

α)Δοτική αντικειμενική:

Τί δήποτ' ἂν εἴη ταῦτα, ὦ Εὐθύφρων, δίδομεν τὰ παρ' ἡμῶν δῶρα τοῖς θεοῖς;

δίδωμι + dative τοῖς θεοῖς :

MODERN GREEK: δίνω + σε + accusative:

δίνω σε + τους θεούς : δίνω στους θεούς

In ancient Greek, certain verbs and words that derive from verbs are followed by the dative case. In modern Greek, the case accordingly becomes the accusative. Therefore:

1. Verbs of friendly or hostile action:

ἀρέσκω, εὐνοῶ, βοηθῶ, τιμωρῶ, ἀπειλῶ, πολεμῶ, μάχομαι, ἐναντιοῦμαι, μέμφομαι, ὀργίζομαι, φθονῶ:

Οἱ Ἀθηναῖοι τῷ Ἀντιόχῳ ἐβοήθουν.

βοηθῶ + dative τῷ Ἀντιόχῳ:

MODERN GREEK: βοηθώ + accusative

Οι Αθηναίοι βοηθούσαν τον Αντίοχο.

Πολεμοῦσι τοῖς Πέρσαις.

πολεμῶ + dative τοῖς Πέρσαις.

MODERN GREEK: πολεμώ + accusative: Πολεμούν τους Πέρσες.

2. Verbs of obeying and persuading, along with their opposites, were followed by the dative in ancient Greek. In modern Greek, these verbs take the accusative, preceded by a preposition.

πείθομαι, πιστεύω, ὑπακούω, ὑπηρετῶ, ἀπιστῶ:

Ῥᾳδίως πείθεται τῷ πατρί.

πείθομαι + dative τῷ πατρί. ------->

MODERN GREEK: πείθομαι + σε + accusative

Εύκολα υπακούει στον πατέρα.

The verb χρῶμαι was followed by two datives.

Χρῶμαι τῷ προδότῃ συμβούλῳ.

χρῶμαι + dative + dative -->

MODERN GREEK: χρησιμοποιώ + accusative + ως + accusative

Χρησιμοποιώ τον προδότη ως σύμβουλο.

3. Verbs expressing resemblance, equality, accordance, and agreement were followed by the dative in ancient Greek. In modern Greek, the dative is replaced by the accusative, preceded by a preposition.

ἰσοῦμαι, ἔοικα ὁμοιάζω, συμφωνῶ, συνᾴδω, ὁμολογῶ, ὁμονοῶ:

Τὸ τῆς πόλεως ἦθος ὁμοιοῦται τοῖς ἄρχουσι.

Ὁμοιοῦμαι + dative τοῖς ἄρχουσι ----->

MODERN GREEK: μοιάζω + με + accusative

Το ήθος της πόλης μοιάζει με τους άρχοντες.

Τὰ γὰρ ἔργα οὐ συμφωνεῖ τοῖς λόγοις.

Συμφωνῶ + dative τοῖς λόγοις.------>

MODERN GREEK: συμφωνώ + με + accusative

Τα έργα δεν συμφωνούν με τους λόγους.

4. Verbs of hostility and reconciliation were also followed by the dative in ancient Greek. Once again, in modern Greek the dative is replaced by the accusative, preceded by a preposition. ἀμφισβητῶ, ἐρίζω, διαλλάττομαι.

Οἱ ἐχθροὶ ἐρίζουσιν ἀλλήλοις.

Ἐρίζω + dative ἀλλήλοις---->

MODERN GREEK: ερίζω + με + accusative of both pronouns.

Οι εχθροί ερίζουν ο ένας με τον άλλο.

Οἱ δὲ ἐπιτίθενται τῷ στρατεύματι.

Ἐπιτίθεμαι + dative τῷ στρατεύματι ----->

MODERN GREEK: επιτίθεμαι + σε + accusative

Αυτοί επιτίθενται στο στράτευμα.

Τῇ βασιλείᾳ ἁρμόττει καλοκαγαθία.

Ἁρμόττει + dative τῇ βασιλείᾳ ------->

MODERN GREEK: αρμόζω + σε + accusative

Στην βασιλεία αρμόζει η καλοκαγαθία.

Δηλαδή, στα νέα ελληνικά οι παραπάνω κατηγορίες ρημάτων συντάσσονται με αιτιατική ή εμπρόθετο προσδιορισμό σε θέση αντικειμένου και σπάνια με γενική:

Πολεμά τους εχθρούς.

Μοιάζει του παππού του. [ή: στον παππού του]

FOSSILIZED LEXICAL UNITS FROM ANCIENT GREEK INTO MODERN GREEK

A substantial number of ancient Greek words and phrases have passed unchanged into modern Greek. These "fossilized" phrases were taken up directly and without alteration from Homer, the Greek tragedians, Delphic maxims, and other pagan sources; others are of ecclesiastical origin (the Holy Bible and church fathers).

The process of "fossilization" is complex and multifaceted. Some credit for this goes to the educated clergy and monks of the Byzantine period who passed on ancient Greek wisdom unchanged to their students and disciples over the centuries. Other words and phrases from ancient Greek were added to the vernacular by native speakers of modern Greek who wanted to achieve a higher register in their linguistic output. Many Homeric phrases and structures also survived in modern Greek folk songs and in modern Greek phrasing. Fossilization along these lines could be considered "natural."

But the presence of such a large number of ancient Greek words and phrases in modern Greek is also the result of deliberate anachronism, fostered especially by the Atticism movement and *Katharevousa*. Atticism, that *love of Attica* and of the Attic dialect of the Greek language, was a "back to your roots" linguistic and rhetorical movement that tried to set the standard of what was sufficiently "Hellenic" or "high" Greek. In attempting to put the "class" back in classics, Atticism was instrumental in altering the expected course of the modern Greek language towards simplicity. The ripples of Atticism became the *Katharevousa* wave after the Greek War of Independence, or the Greek Revolution (1821). With *Katharevousa*--the word literally means "purifying," as in purifying the Greek language--scholars aimed at removing any Byzantine, Venetian, or Slavic element found in the modern Greek language spoken under the Ottoman Empire. The brainchild of the great scholar Adamantios Korais, *Katharevousa* turned ψάρι into ιχθύς and φρούτο into οπώρα, and ultimately reached the point where students started bloody riots in 1903 in response to a translation of the *Oresteia* that was deemed too demotic. All of this finally came to an end in 1982, when Andreas Papandreou dropped the polytonic system and *Demotike* was established by law. By this time, however, *Katharevousa* and Atticism had already made an indelible imprint on the modern Greek language.

The guide below contains a list of "fossilized" ancient Greek phrases that occur in modern Greek. The list is not comprehensive, but includes some of the most commonly used ancient Greek expressions that have passed unchanged into modern Greek. It will be noticed that the dative case is found in some of these expressions, although elsewhere it has disappeared entirely from modern Greek. Also included are modern Greek rephrasings of some of these fossilized expressions, along with their English translations. Note that these rephrasings are not in use in modern Greek--the ancient Greek expressions are--but they are given here as examples. Note also that speakers of modern Greek may pronounce the fossilized ancient Greek phrases differently from modern Greek conventions.

Εντάξει = in order

εν μέρει = partially

δόξα τω Θεώ = Glory to God

Πράγματι = Indeed

τω όντι = indeed

εν τω μεταξύ = meanwhile

Ενώ = in the meantime

Αιέν αριστεύειν: Πάντα να αριστεύετε (Ομήρου Ιλ. Ζ 208) = Always strive for excellence (a motto of the Hellenic army)

Αμ' έπος αμ' έργον: Μαζί με τα λόγια και τα έργα (Ηρόδοτος) = Along with words, works, better done than said

αβρόχοις ποσί: "με στεγνά πόδια", χωρίς κόπο, ανώδυνα = with dry feet, effortlessly, "no pain, no gain"

άγομαι και φέρομαι: δεν έχω δική μου γνώμη, παρασύρομαι από τους άλλους = I don't have my own opinion, I get carried away by others

αμαρτίαι γονέων παιδεύουσι τέκνα: τα λάθη των γονιών έχουν επιπτώσεις / διδάσκουν τα παιδιά τους = mistakes of parents teach their children

αποδιοπομπαίος τράγος: εξιλαστήριο θύμα = scapegoat (Leviticus)

αχίλλειος πτέρνα: το αδύνατο σημείο = the weakness of someone despite strength, Achilles' heel

γηράσκω δ' αεί πολλά διδασκόμενος: γερνάω και πάντα μαθαίνω πολλά = I grow old ever learning

γνώθι σαυτόν: έχε επίγνωση του εαυτού σου = Know Thyself

Δει δε χρημάτων: χωρίς χρήματα δεν γίνεται τίποτα = Money makes the world go round

δεινόν προς κέντρα λακτίζειν: η επίθεσή σου εναντίον του δυνατού αποβαίνει εις βάρος σου = attacking the strong one only causes harm to oneself

δέοντα (τα): τα πρέποντα, τα σέβη μου = the respect that is just

δεύτε λάβετε φώς: ελάτε να πάρετε το φώς = Come, Receive the Light

δούναι και λαβείν: συναλλαγή, δοσοληψία, αλισβερίσι = give and take

δρακόντεια μέτρα: σκληρά και αυστηρά μέτρα = measures of great severity, from Draco, the Athenian law scribe under whom small offenses had heavy punishments

ηλίου φαεινότερο: πάρα πολύ φανερό, σαφές = plain as day

θαρσείν χρη: πρέπει να έχεις θάρρος = one must be brave (from Theocritus Θαρσεῖν χρή, φίλε Βάττε· τάχ᾽ αὔριον ἔσσετ᾽ ἄμεινον, Εἰδύλλια (4.29-4.63), a motto of the Hellenic army)

ιδίοις όμμασι: με τα ίδια μου τα μάτια : with my own eyes, witness first hand

ιδού ο νύμφιος έρχεται: να, έρχεται ο γαμπρός· η απροσδόκητη έλευση ενός προσώπου ή γεγονότος = Behold,the Bridegroom Cometh in the Midst of the Night (Holy Week), when something unexpected is coming

Λάθε βιώσας: Να ζεις στην αφάνεια, να μην επιδώκεις την προβολή (Επίκουρος) = live secretly, get through life without drawing attention to yourself

νίψον ανομήματα μη μόναν όψιν: να εξαγνιστείς = wash thy sins not only thy face (a palindrome from the church of Haghia Sophia in Istanbul, Constantinople)

φοβού τους Δαναούς και δώρα φέροντας: πρέπει να είναι κανείς προσεκτικός με ορισμένους ανθρώπους παρά την εμφανή ένδειξη φιλίας τους = Beware of Greeks bearing gifts (Timeo Danaos et Dona Ferentes from Aeneid II, 49, being careful for unexpected gifts)

φυλάσσω Θερμοπύλες: υπερασπίζομαι αξίες, ιερά = to fight for one's principles and ideas (rephrasing from Cavafy's poem Τιμή σ' εκείνους όπου στη ζωή των / όρισαν και φυλάγουν Θερμοπύλες)

THE LOSS OF THE INFINITIVE

Ἐθέλω εἰπεῖν→ Θέλω να πω

Η νέα ελληνική δεν έχει ακριβώς απαρέμφατο. Στην θέση του απαρεμφάτου έχουμε την "υποτακτική".

	Active Voice		Middle - Passive Voice	
Ενεστώτας	λύειν	να λύνω	λύεσθαι	να λύνομαι
Παρατατικός	----------	----(να έλυνα)	----------	----(να λυνόμουν)
Μέλλοντας	λύσειν	να λύσω	λύσεσθαι / λυθήσεσθαι	να λυθώ
Αόριστος	λῦσαι	να λύσω	λύσασθαι / λυθῆναι	να λυθώ
Παρακείμενος	λελυκέναι	να έχω λύσει	λελύσθαι	να έχω λυθεί
Υπερσυντέλικος	----------	να είχα λύσει	----------	να είχα λυθεί
Συντελεσμένος Μέλλοντας	----------	-------	λελύσεσθαι	----------

In place of the infinitive, there is a pseudo-subjunctive in modern Greek. Linguists are in disagreement over whether it should be properly called the subjunctive or the infinitive.

In Ancient Greek the infinitive has four tenses (present, future, aorist, perfect) and three voices (active, middle, passive). Unique forms of the infinitive for the middle voice are found only in the future and aorist tenses; in the present and perfect, the middle and passive infinitives are identical.

Thematic verbs form present active infinitives by adding the theme vowel -ε- and the infinitive ending -εν to the stem, which contract to form an -ειν (from εεν) ending, e.g. παιδεύειν. Athematic verbs add the suffix -ναι to the stem, e.g. διδόναι. In the middle and passive voices, the present infinitive ending is -σθαι, e.g. δίδοσθαι. Thematic verbs add an additional -ε- between the ending and the stem, e.g. παιδεύεσθαι.

In modern Greek, the infinitive disappeared, and was replaced syntactically by the subjunctive. The characteristic -**σ**- indicates the nature, or aspect of the action (ποιόν ενεργείας). Accordingly, actions that are continuous, progressive, habitual, repeated, and imperfective retain the stem of the present tense. Actions that are limited, momentary, single, and perfective use the -σ- or the appropriate stem of the Aorist Tense.

Infinitives in Modern Greek are inflected for person. This means that the "infinitive," or more properly the subjunctive, changes depending on the actor.

Therefore, in the Active Voice:

For a continuous action	For a limited action
Θέλω να γρά**φ**ω	Θέλω να γρά**ψ**ω
Θέλω να γρά**φ**εις	Θέλω να γρά**ψ**εις
Θέλω να γρά**φ**ει	Θέλω να γρά**ψ**ει
Θέλω να γρά**φ**ουμε	Θέλω να γρά**ψ**ουμε
Θέλω να γρά**φ**ετε	Θέλω να γρά**ψ**ετε
Θέλω να γρά**φ**ουν	Θέλω να γρά**ψ**ουν

As illustrated above, the present stem or the aorist stem is used depending on the nature or aspect of the action (*έγραφ+σα --> έγραψα --> να γράψω). It should be carefully noted, however, that the use of the aorist stem does not mean that the action is finished and belongs to the past. It means that the action will eventually finish at some point. On the other hand, να γράφω refers to an action for which the end is not known. In English, that distinction would be expressed by "I want to be writing" versus "I want to write".

"Infinitives" in modern Greek can take nominative or accusative subjects. The infinitive takes a nominative subject when it is specified for tense -- that is, when the present and past forms of the infinitive can alternate and the infinitive fully supports a sequence of tenses. The infinitive takes an accusative subject when it is not specified for tense -- that is, when the only form which is admitted is the present infinitive.

The Ancient Greek aorist infinitives, active and passive, survive in Modern Greek, but they have an entirely different function in modern Greek. The Ancient Greek γράψαι "to write" followed this path:

γράψαι → γράψειν (in analogy to the present infinitive γράφειν) → γράψει

used only in combination with the auxiliary verb έχω "I have"

→ *Present Perfect:* έχω γράψει "I have written".

→ *Past Perfect:* είχα γράψει "I had written".

Similarly, the Ancient Greek γραφῆναι "to be written" survives as γραφεί; thus, έχει γραφεί means "It has been written".

In Modern Greek, "I want to write"

θέλω να γράψω ("I want that I write"),

opposed to Ancient Greek

ἐθέλω γράφειν ("I want to write").

In Modern Greek, the infinitive has changed form and is used mainly in the formation of tenses; it is not found on its own or with an article. Instead of the Ancient Greek infinitive "γράφειν", Modern Greek uses the infinitive "γράψει", which does not inflect. The Modern Greek infinitive has only two forms according to voice: "γράψει" for the active voice and "γραφ(τ)εί" for the passive voice.

ΑΡΘΡΑ

ARTICLES

ANCIENT GREEK		MODERN GREEK
αἱ		οι
τὰς		τις
αἱ θάλασσαι		οι θάλασσες
Ἡ νύξ → ACC. τήν νύκτα	→	NOM. η νύχτα

As mentioned above, the predominant case in Modern Greek is the accusative -- not only in terms of syntax, but also in terms of inflection. The ancient Greek accusative formed the modern Greek Nominative Case:

Ἡ Ἑλλὰς → ACC. τήν Ἑλλάδα	→	NOM. Η Ελλάδα
Ἡ πόλις → ACC. τήν πόλιν	→	NOM. Η πόλη

**Difficult 3rd declension nouns become neuter deminiatives and drop the suffix -ιον:*

Ὁ παῖς → ACC. τὸν παῖδα		
Τὸ παιδίον	→	NOM. Το παιδί
Ἡ κλείς → ACC. τήν κλεῖδα		
Τὸ κλειδίον	→	NOM. Το κλειδί

*ΜΕΣΗ ΦΩΝΗ : MIDDLE VOICE

Morphologically, the Middle Voice is not distinct from the Passive Voice.

Μιλώ - μιλιέμαι

Κοιτώ - κοιτιέμαι

*ΕΥΚΤΙΚΗ ΦΩΝΗ: OPTATIVE MOOD

There is no Optative Mood in Modern Greek. The optative is replaced by the Υποτακτική Subjunctive, or by other structures in more complex cases:

Εἴθε φίλος ἡμῖν γένοιο → Μακάρι να γίνεις φίλος μας.

Σὺ κομίζοις ἂν σεαυτὸν ᾗ θέλεις. → Αν το ξεχάσω, μου το θυμίζεις. [οριστ. ενεστώτα]

VERBS ENDING in -μι

Ancient Greek -mi verbs developed into simple -ω verbs in modern Greek, but only in the active voice. In the Passive Voice, the ancient Greek -mi ending is retained in modern Greek:

ANCIENT	MODERN GREEK		ANCIENT PASSIVE
Δείκνυμι →	δείχνω	αλλά : δείχνομαι	(δείκνυμαι)
Δίδωμι →	δίδω/ δίνω	αλλά : δίνομαι	(δίδομαι)
Τίθημι →	θέτω	αλλά: τίθεμαι	(τίθεμαι)

**FUTURE TENSE*

Medieval Greek

Θέλω ἵνα + Subjunctive → θα + Subjunctive : θα φύγω / θα μάθω

In Modern Greek, as mentioned above, aspect replaces tense. Therefore, different forms are used according to the frequency of the action indicated by the verb:

Πάω - πηγαίνω

Θέλω να πάω στην Ελλάδα

(simple, one-time action)

Θέλω να πηγαίνω στην Ελλάδα κάθε καλοκαίρι.

(continuous, repeated action)

Γράψω - γράφω

Ο Νίκος θέλει να γράψει καλά σήμερα.

(simple, one-time action)

Ο Νίκος θέλει να γράφει συχνά γράμματα στην οικογένειά του.

(continuous, repeated action)

The -s- stem (e.g. γρά-ψ-ω), from the Aorist tense, describes an action that has a specific beginning and an ending. The -φ- stem (e.g. γρά-φ-ω), from the Present tense, describes a continuous or repeated action whose ending is unknown.

1
Ο ΑΛΕΞΑΝΔΡΟΣ Ο ΜΙΚΡΟΣ

Καλημέρα
good morning

Είμαι
to be

μικρός
small / little

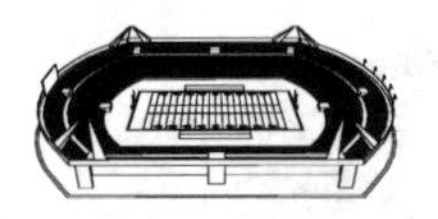

Το στάδιο

Η καθηγήτρια
professor (feminine)

Έχω
to have

μεγάλη
big / grand

Καλημέρα σας! **Είμαι** ο Αλέξανδρος. Είμαι μαθητής. Οι φίλοι μου με λένε Αλέκο. Είμαι ο Αλέξανδρος ο **μικρός**. Δεν είμαι ο Αλέξανδρος ο Μέγας. Πηγαίνω στο σχολείο. Είμαι δεκαεφτά χρονών. Είμαι από την Ελλάδα. Μένω στην Αθήνα, στο Παγκράτι. Μένω πίσω από το Καλλιμάρμαρο **Στάδιο**. Ο **πατέρας** μου δουλεύει. Είναι καθηγητής μαθηματικών. Τον λένε Φίλιππο. Η μητέρα μου επίσης δουλεύει, είναι **καθηγήτρια** Ισπανικών. Η **μητέρα** μου είναι από την Ισπανία. Την λένε Μαρία. **Έχω** μία αδερφή. Η **αδερφή** μου είναι **μεγάλη**. Δεν πηγαίνει στο σχολείο. Είναι εικοσιπέντε χρονών. Την λένε Ελένη.

Ο πατέρας
father

Ο μπαμπάς
dad

Η μητέρα
mother

Η μαμά
mom

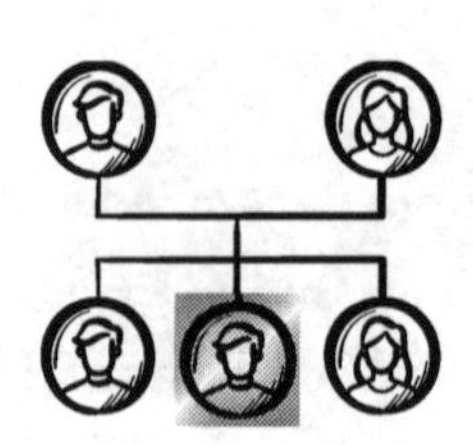

Ο αδερφός
brother

Η αδερφή
sister

Μου αρέσει η μυθολογία και η ιστορία. Ο Ηρακλής και ο Θησέας, ο Περικλής και ο Οδυσσέας. Του πατέρα μου δεν του αρέσει η μυθολογία. Μου λέει "Αλέξανδρε! Η μυθολογία είναι ψέματα, η ιστορία είναι **αλήθεια**. Η μυθολογία είναι λάθος, η ιστορία είναι σωστό!" Εγώ του λέω "Εσύ είσαι **καθηγητής**. Ο Ηρακλής είναι ήρωας, ο Περικλής είναι επίσης ήρωας! Τι θέλεις; **Αμάν**!" Ο πατέρας μου λέει "**Δεν θέλω** κάτι. Είμαστε άνθρωποι, δεν είμαστε ήρωες. Καταλαβαίνεις;" Του λέω "**Καταλαβαίνω**" και τέλος.

Η μητέρα μου είναι από την Ισπανία. Καταλαβαίνει τι λέμε εμείς, αλλά δουλεύει πολύ. Λέει "Εγώ είμαι ήρωας. **Δουλεύω** όλη την ημέρα και **ακούω** και εσάς!"

Το ψέμα
lie

Η αλήθεια
truth

Ο καθηγητής
professor (masculine)

Αμάν
Oh dear! / Bummer!

Δεν θέλω
I do not want

Καταλαβαίνω
I understand

Δουλεύω
I work

Ακούω

ΑΣΚΗΣΕΙΣ ΚΑΤΑΝΟΗΣΗΣ ΔΙΑΛΟΓΟΥ

COMPREHENSION EXERCISES

1. Πώς λένε τον μαθητή στον διάλογο;

α) Αλέξανδρο

β) Αλέκο

γ) Ηρακλή

δ) Αλέξανδρο και Αλέκο

2. Ο πατέρας του Αλέξανδρου, ο Φίλιππος

α) πηγαίνει στο σχολείο

β) είναι καθηγητής μαθηματικών και δουλεύει

γ) είναι από την Ισπανία

δ) του αρέσει η μυθολογία

3. Η μητέρα του Αλέξανδρου, η Μαρία

α) είναι ήρωας, είναι από την Ισπανία και είναι καθηγήτρια μαθηματικών

β) είναι ήρωας, είναι από την Ισπανία και είναι καθηγήτρια Ισπανικών

γ) μένει στην Ισπανία

δ) δεν καταλαβαίνει τι λέει ο Αλέξανδρος

4. Η αδερφή του Αλέξανδρου

α) την λένε Ελένη και πηγαίνει στο σχολείο

β) την λένε Ελένη και δεν πηγαίνει στο σχολείο, γιατί δουλεύει

γ) την λένε Μαρία και δουλεύει πολύ

δ) την λένε Μαρία και δεν δουλεύει πολύ

5. **Η μυθολογία**

    α) είναι λάθος και ψέματα

    β) είναι σωστή και αλήθεια

    γ) δεν αρέσει στον πατέρα του Αλέξανδρου γιατί είναι λάθος και ψέματα

    δ) αρέσει στον πατέρα του Αλέξανδρου γιατί είναι σωστή και αλήθεια

ΑΣΚΗΣΕΙΣ ΓΙΑ ΚΟΥΒΕΝΤΑ ΔΙΑΛΟΓΟΥ

DISCUSSION EXERCISES

1. **Ποιοι / ποιες πιστεύεις ότι είναι οι ήρωες και οι ηρωίδες σήμερα;**

2. **Πώς διαλέγεις και ξεχωρίζεις τι είναι αλήθεια και τι ψέματα στο ίντερνετ;**

3. **Τι διαφορά έχει η ιστορία από την μυθολογία; Υπάρχουν σήμερα μύθοι;**

2
Η ΑΣΠΑΣΙΑ ΚΑΙ Ο ΑΛΕΞΑΝΔΡΟΣ

ΑΛΕΞΑΝΔΡΟΣ :

Καλημέρα!

ΑΣΠΑΣΙΑ :

Γεια σου. Είμαι η Σία. Πώς σε λένε;

ΑΛΕΞΑΝΔΡΟΣ :

Γεια σου, Σία! Τι όνομα είναι αυτό;

ΑΣΠΑΣΙΑ :

Σία με λένε, από το Ασπασία! Εσένα πώς σε λένε;

ΑΛΕΞΑΝΔΡΟΣ :

Με λένε Αλέκο.

ΑΣΠΑΣΙΑ :

Αλέκο! Τι όνομα είναι αυτό;

ΑΛΕΞΑΝΔΡΟΣ :

Αλέκο με λένε, από το Αλέξανδρος! Χαίρω πολύ, Σία. Είσαι από την Αθήνα;

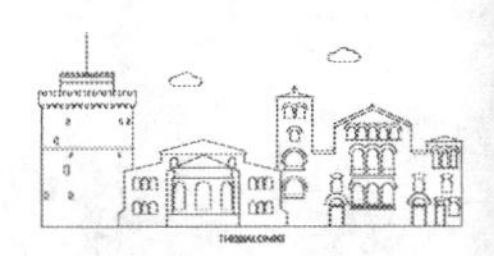
Θεσσαλονίκη

ΑΣΠΑΣΙΑ :

Όχι, είμαι από την **Θεσσαλονίκη**. Χαίρω πολύ, Αλέξανδρε. Εσύ από πού είσαι;

ΑΛΕΞΑΝΔΡΟΣ :

Είμαι από την Αθήνα. **Τι κάνεις;**

Διαβάζω

ΑΣΠΑΣΙΑ :

Πολύ καλά, ευχαριστώ. Μαθήματα, **διαβάζω** πολύ. Εσύ, **πώς είσαι;**

Σχολείο

ΑΛΕΞΑΝΔΡΟΣ :

Μια χαρά. Εδώ, στο **σχολείο**. Πού μένεις εσύ, Σία;

ΑΣΠΑΣΙΑ :

Μένω στο Θησείο. Αλλά το σχολείο μου είναι στο Παγκράτι. Εσύ πού μένεις;

Πώς είσαι; / Τι κάνεις;
How are you ?

Τέλεια

Πολύ καλά!

Χάλια!

Πολύ Καλά! (Μια χαρά!)

Είμαι εντάξει / Είμαι ΟΚ.

Έχω τα νεύρα μου.

ΑΛΕΞΑΝΔΡΟΣ :
Εγώ μένω εδώ, στο Παγκράτι. Πολύ κοντά στο σχολείο. Σία, έχεις αδέρφια;

ΑΣΠΑΣΙΑ :
Έχω έναν αδερφό. Τον λένε Ανδρέα. Εσύ Αλέξανδρε, έχεις αδέλφια;

Παιδί

ΑΛΕΞΑΝΔΡΟΣ :
Ναι, έχω μία αδερφή. Την λένε Ελένη. Είναι μεγάλη, έχει οικογένεια και ένα **παιδί**.

ΑΣΠΑΣΙΑ :
Έχει **παιδί**; Τέλεια! Πώς το λένε το **παιδί**;

ΑΛΕΞΑΝΔΡΟΣ :
Το **παιδί** το λένε Γιάννη. Την αδερφή μου τη λένε Ελένη.

ΑΣΠΑΣΙΑ :
Και η αδερφή σου τι κάνει;

ΑΛΕΞΑΝΔΡΟΣ :
Τέτοια ώρα; Η αδερφή μου δουλεύει. Εσύ δουλεύεις;

ΑΣΠΑΣΙΑ :
Εγώ; Τι λες βρε Αλέξανδρε; Είμαι μαθήτρια! Στο σχολείο!

ΑΛΕΞΑΝΔΡΟΣ :

Σωστά! Μα καλά, τι λέω; Και εγώ μαθητής είμαι. Διαβάζω, αλλά δεν δουλεύω!

ΑΣΠΑΣΙΑ :

Α μπράβο! Και εγώ και εσύ πηγαίνουμε στο σχολείο κάθε μέρα.

ΑΛΕΞΑΝΔΡΟΣ :

Ακριβώς! Εγώ πάντως, **δεν θέλω** σχολείο κάθε μέρα. Εσύ θέλεις;

Δεν θέλω
I do not want

Θέλω
I want

ΑΣΠΑΣΙΑ :

Ούτε εγώ θέλω σχολείο κάθε μέρα. Αλλά **πηγαίνω**.

Πηγαίνω
to go

ΑΛΕΞΑΝΔΡΟΣ :

Λοιπόν Ασπασία, αύριο πάλι! Τα λέμε!

ΑΣΠΑΣΙΑ :

Ναι, αύριο! **Χάρηκα**!

ΑΛΕΞΑΝΔΡΟΣ :

Χάρηκα!

Χάρηκα!
Nice to meet you!

ΑΣΚΗΣΕΙΣ ΚΑΤΑΝΟΗΣΗΣ ΔΙΑΛΟΓΟΥ

COMPREHENSION EXERCISES

Άσκηση 1: True or False? / Σωστό ή Λάθος;
If there is a mistake in the sentence, write it correctly.

Σ Λ

1. **Η Σία είναι μαθήτρια, μένει στην Αθήνα και έχει καταγωγή από την Αθήνα, δηλαδή είναι από την Αθήνα.**

   Αν η πρόταση είναι λάθος, γράψε τη σωστά. ________

2. **Η αδερφή του Αλέξανδρου, η Ελένη, είναι μεγάλη και δουλεύει.**

   Αν η πρόταση είναι λάθος, γράψε τη σωστά. ________

3. **Το παιδί της αδερφής του Αλέξανδρου, της Ελένης, το λένε Παγκράτι.**

   Αν η πρόταση είναι λάθος, γράψε τη σωστά. ________

4. **Η Σία είναι μικρή, είναι μαθήτρια, πηγαίνει στο σχολείο και δουλεύει.**

   Αν η πρόταση είναι λάθος, γράψε τη σωστά. ________

5. **Ο Αλέξανδρος δεν δουλεύει. Είναι μαθητής, πηγαίνει στο σχολείο κάθε μέρα, αλλά δεν θέλει σχολείο κάθε μέρα.** ___________

Αν η πρόταση είναι λάθος, γράψε τη σωστά.

ΑΣΚΗΣΕΙΣ ΓΙΑ ΚΟΥΒΕΝΤΑ ΔΙΑΛΟΓΟΥ

DISCUSSION EXERCISES

1. **Τον Αλέξανδρο τον λένε και Αλέκο. Την Ασπασία την λένε και Σία. Εσύ έχεις παρατσούκλι ή υποκοριστικό; Τι σημαίνει; Είναι συνηθισμένο; Σου αρέσει;**

2. **Το σχολείο είναι δουλειά για σένα; Ή μήπως η δουλειά είναι σχολείο; Μαθαίνουμε να δουλεύουμε; Η δουλεύουμε για να μάθουμε;**

3. **Τι σημαίνει για σένα "οικογένεια" σήμερα; (Families we choose)**

3

Ο ΕΡΩΤΑΣ ΚΑΙ Η ΔΥΝΑΜΗ ΤΟΥ

Κεφάλι

Άγγελος

ΑΛΕΞΑΝΔΡΟΣ :

Πω πω πω πω! Το **κεφάλι** μου πονάει…
Πού είμαι; Κολώνες βλέπω… Πού είμαι;
Όπα! Ένα παιδί με φτερά!
Πολύ μικρό είναι αυτό το παιδί!
Άγγελος είναι; Ποιος είναι αυτός;

Ε, ε, ε! Πώς σε λένε; Ποιος είσαι εσύ;
Τι κάνεις;

Χτυπάω

Τεμπέλης
lazy

Ερωτευμένος
in love

ΕΡΩΤΑΣ :

Γεια σου! Με λένε Έρωτα!
Εγώ είμαι ο Έρωτας, ο μικρός.
Χτυπάω με το βέλος μου! Πίιιινγκ!
Είσαι **τεμπέλης** φίλε; Δεν δουλεύεις;
Εγώ σε χτυπώ! Ερωτεύεσαι! Χα χα χα!
Εγώ είμαι μια χαρά!
Ο **ερωτευμένος** είναι δύο τρομάρες!
Εσύ ποιος είσαι;

ΑΛΕΞΑΝΔΡΟΣ :

Γεια σου Έρωτα!
Εγώ είμαι ο Αλέξανδρος και δεν καταλαβαίνω!
Τι λες; Πού μένεις, Έρωτα;

ΕΡΩΤΑΣ :

Εγώ; Εγώ μένω στις καρδιές των ανθρώπων.
Μένω παντού.
Θέλει **γυναίκα** ο **άντρας**;
Θέλει άντρα η γυναίκα;
Εγώ είμαι **εκεί**!
Δεν **φεύγω ποτέ**!
Μένω στην καρδιά σου, Αλέξανδρε, για **πάντα**!

Γυναίκα Άντρας

Εκεί there

Φεύγω to leave

Ποτέ never

Πάντα always

ΑΛΕΞΑΝΔΡΟΣ :

Εσύ; Στην καρδιά μου;
Μένεις στην καρδιά μου εσύ για **πάντα**;
Μα εσύ είσαι μικρό παιδί, Έρωτα!
Πώς έχεις τη **δύναμη**;

Δύναμη

ΕΡΩΤΑΣ :

Είμαι πάρα πολύ δυνατός εγώ!
Η μαμά μου είναι η Νύχτα.
Ο μπαμπάς μου είναι το Χάος.
Γι' αυτό πάω, χτυπάω ΜΠΑΜ
και **προκαλώ** Χάος.
Είναι πολύ **αδύναμοι** αυτοί που χτυπώ.
Ο ερωτευμένος είναι **αδύναμος**. Αλήθεια τώρα.

Προκαλώ to cause

Αδύναμος weak

ΕΡΩΤΑΣ :

Ο ερωτευμένος δεν έχει δύναμη, Αλέξανδρε.
Τίποτα.

ΑΛΕΞΑΝΔΡΟΣ :

Και γιατί τους χτυπάς Έρωτα;
Είσαι κακός;
Και εντάξει. Εσύ τους χτυπάς, αυτοί πονάνε;

ΕΡΩΤΑΣ :

Εγώ; Γιατί τους χτυπάω εγώ; Χαχαχαχα!
Γιατί έτσι, βρε!
Ο Έρωτας πάντα πονάει!
Εγώ είμαι η αρχή. Και εγώ είμαι το τέλος!

Ουρανός

Η Γη

Θέλω εγώ; Θέλει ο **Ουρανός** τη **Γη**.
Θέλω εγώ; Κάνουν παιδιά!
Αλλά, εντάξει, έχω φτερά. Τσίου τσίου τσίου.

ΑΛΕΞΑΝΔΡΟΣ :

Γιατί έχεις φτερά; Δηλαδή, εσύ πετάς;

Πετάω

Εδώ
here

ΕΡΩΤΑΣ :

Ναι, **πετάω!**
Γιατί οι ερωτευμένοι δεν ξέρουν τι θέλουν.
Το μυαλό τους πετάει.
Μία **εδώ**, μία εκεί.
Χαχαχα!
Έ, και εγώ πετάω.

ΕΡΩΤΑΣ :

Μία εδώ, μία εκεί.

Χαχαχα!

Πετάω και φεύγω και πάω

και χτυπώ και χτυπάω.

Και φεύγω πάλι.

ΑΛΕΞΑΝΔΡΟΣ :

Και τώρα; Πού πας τώρα Έρωτα;

ΕΡΩΤΑΣ :

Τώρα φεύγω.

Πάω για το νέο βέλος. Τέλος.

Γεια σου γεια σου!

Και **προσοχή** στον Έρωτα, Αλέξανδρε! **Προσοχή**!

Προσοχή!
Attention!

ΑΛΕΞΑΝΔΡΟΣ :

Μπα!... Τρελά πράγματα σήμερα…

Πολύ τρελά πράγματα σήμερα!

ΑΣΚΗΣΕΙΣ ΚΑΤΑΝΟΗΣΗΣ ΔΙΑΛΟΓΟΥ

COMPREHENSION EXERCISES

1. Τι βλέπει ο Αλέξανδρος στην αρχή του διαλόγου;

α) κολώνες

β) ένα παιδί με φτερά, έναν άγγελο

γ) κολώνες και ένα παιδί με φτερά, έναν άγγελο

δ) τίποτε από τα παραπάνω

2. Ο Έρωτας στον διάλογο

α) είναι ένας μεγάλος άνδρας

β) είναι ένα μικρό παιδί

γ) είναι ένας γέρος

δ) είναι ένα μωρό

3. Ο Έρωτας χτυπάει

α) τον άνθρωπο που δουλεύει πολύ

β) τον άνθρωπο που δεν δουλεύει γιατί δεν θέλει, είναι τεμπέλης

γ) τον άνθρωπο που δεν δουλεύει γιατί δεν μπορεί, είναι άνεργος

δ) τον άνθρωπο που δεν δουλεύει καθόλου

4. Ο Έρωτας έχει φτερά, γιατί οι ερωτευμένοι

α) ξέρουν τι θέλουν

β) δεν ξέρουν τι θέλουν, το μυαλό τους πετάει

γ) πετάνε

δ) δεν πετάνε

5. **Ο Ερωτευμένος/ η Ερωτευμένη :**

   α) έχει πολύ δύναμη, είναι δυνατός / δυνατή

   β) δεν έχει πολύ δύναμη, είναι αδύναμος / αδύναμη

   γ) δεν έχει φτερά

   δ) έχει φτερά

ΑΣΚΗΣΕΙΣ ΓΙΑ ΚΟΥΒΕΝΤΑ ΔΙΑΛΟΓΟΥ

DISCUSSION EXERCISES

1. **Τι είναι έρωτας για σένα; Τι είναι αγάπη;**

2. **Ο έρωτας σήμερα έχει φύλο; Αν ναι, γιατί; Αν όχι, γιατί;**

3. **Ο έρωτας κατά τη γνώμη σου φεύγει; Ή μένει;**

4

Η ΑΣΠΑΣΙΑ ΜΕΛΕΤΑ

Τα ρούχα

ΑΣΠΑΣΙΑ :

Γεια σου πάλι, Αλέξανδρε! Τι **ρούχα** φοράς σήμερα;

ΑΛΕΞΑΝΔΡΟΣ :

Φοράω τα καλά μου για σένα, Ασπασία! Ωραία είναι;

Φοράω
to wear

Η νύφη

Ο γαμπρός

ΑΣΠΑΣΙΑ :

Ωραία είναι. Είσαι σαν **γαμπρός**! Αλλά δεν καταλαβαίνω. Τι εννοείς φοράς τα καλά σου για μένα; Εγώ δεν είμαι **νύφη**. Είμαι μαθήτρια! **Ψάχνω** τη σοφία!

Ψάχνω

Σοφία
wisdom

ΑΛΕΞΑΝΔΡΟΣ :

Ποια **Σοφία**; Τη φίλη της Κατερίνας;

ΑΣΠΑΣΙΑ :

Ποια φίλη της Κατερίνας βρε Αλέξανδρε;;; Τη σοφία, τη γνώση! Την αλήθεια. Ποια είναι η αλήθεια, λοιπόν, Αλέξανδρε. Τι θέλεις εσύ και είσαι σαν γαμπρός σήμερα;

ΑΛΕΞΑΝΔΡΟΣ :

Ασπασία, να... Πώς το λένε στα ελληνικά; Ξέρεις, εγώ...

ΑΣΠΑΣΙΑ :

Εσύ τι; Δεν με λες, αυτά που λέτε εσείς στην Αθήνα, εμείς στη Θεσσαλονίκη δεν τα καταλαβαίνουμε. Εσύ τι, Αλέξανδρε;

Το σινεμά

ΑΛΕΞΑΝΔΡΟΣ :

Εγώ, να... Θέλεις να πάμε μαζί στο **σινεμά**;

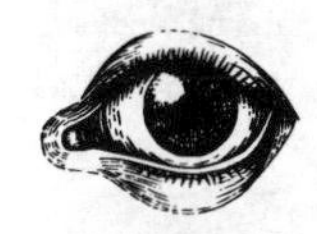

Βλέπω

ΑΣΠΑΣΙΑ :

Εμείς οι δύο μαζί στο **σινεμά**; Μα, εγώ δεν **βλέπω** ταινίες, Αλέξανδρε. Είμαι εδώ στην Αθήνα για λίγες ημέρες. Δεν έχω χρόνο. Θέλω να πάω στην **Ακρόπολη**, στον Παρθενώνα, στον Κεραμεικό και στη **βιβλιοθήκη** του Αδριανού! Στο σινεμά θα πάω; Σινεμά έχει και στη Θεσσαλονίκη, Αλέξανδρε! Εδώ έχει το αληθινό Λύκειο του Αριστοτέλη! Και θα πάω σινεμά; Είσαι σοβαρός;

Η Ακρόπολη

Βιβλιοθήκη

ΑΛΕΞΑΝΔΡΟΣ :

Έχεις δίκιο, Ασπασία. Σινεμά έχει και στη Θεσσαλονίκη. Πάμε μαζί στο **Μουσείο** της **Ακρόπολης**;

Το Μουσείο
museum

ΑΣΠΑΣΙΑ :

Γιατί μαζί; Ξέρεις ιστορίες εσύ από την Ακρόπολη;

Αθηνά

ΑΛΕΞΑΝΔΡΟΣ :

Όχι, δεν ξέρω ιστορίες. Ξέρω λίγο μυθολογία, πώς η **Αθηνά** πολεμάει με τον Ποσειδώνα και η Αθηνά νικάει γιατί δίνει στους Αθηναίους μια ελιά, ενώ ο **Ποσειδώνας** χάνει γιατί τους δίνει νερό θαλασσινό και μετά...

Ποσειδώνας

ΑΣΠΑΣΙΑ :

Ωωωωω Αλέξανδρε!! Βαριέμαι! Αυτά τα ξέρω ήδη! Κάτι άλλο για την Ακρόπολη ξέρεις; Αυτά είναι όλα μυθολογία! Εγώ θέλω την ιστορία, αληθινά γεγονότα! Όχι **παραμύθια**!

Το Παραμύθι-
Τα Παραμύθια
Fairy tales / metaphorically, lies

ΑΛΕΞΑΝΔΡΟΣ :

Έχεις δίκιο, Ασπασία. Αλλά γιατί θέλεις μόνο ιστορία; Δεν σου αρέσει η μυθολογία;

ΑΣΠΑΣΙΑ :

Θέλω ιστορία για να μάθω το παρελθόν. Έτσι, θα είμαι έτοιμη για το μέλλον. Λαός που δεν ξέρει το παρελθόν του, κινδυνεύει στο μέλλον του να κάνει τα ίδια λάθη, Αλέξανδρε!

ΑΛΕΞΑΝΔΡΟΣ :

Ναι, αλλά και η μυθολογία χρήσιμη είναι!

ΑΣΠΑΣΙΑ :

Είναι, αλλά είναι παραμύθια. Ενδείξεις. Ο ένας πιστεύει ότι έγινε. **Ο ποιητής** βάζει **τέχνη** και λέει ό,τι θέλει με στολίδια. **Ο παραμυθάς** λέει γεγονότα, αλλά φτιάχνει μύθους. Η ιστορία είναι άλλο πράγμα, Αλέξανδρε! Δεν είναι λόγια η ιστορία, είναι γεγονότα με **ακρίβεια**, ο πόλεμος όπως έγινε. Όχι όπως λένε ότι έγινε!

...ς - Η Ποιήτρια
poet

Η τέχνη
art

Ο παραμυθάς - Η παραμυθού
story teller

Ο πόλεμος
war

Ακρίβεια
accuracy

ΑΛΕΞΑΝΔΡΟΣ :

Και τι τα χρειαζόμαστε όλα αυτά βρε Ασπασία;

ΑΣΠΑΣΙΑ :

Τα χρειαζόμαστε γιατί πρέπει να λέμε όσα λέγονται, αλλά δεν πρέπει να πιστεύουμε όσα λέγονται. Το λέει και ο Ηρόδοτος αυτό. Άλλο **οι φήμες**, άλλο **η πραγματικότητα**. Καταγράφουμε όσα ακούμε, αλλά τα δουλεύουμε. Ασκούμε κριτική στις φήμες, και μαθαίνουμε τα γεγονότα.

Η φήμη, οι φήμες
rumours

Η πραγματικότητα
reality

ΑΛΕΞΑΝΔΡΟΣ :

Αυτό είναι δύσκολο, Ασπασία. Στο **ίντερνετ** διαβάζω και φήμες και γεγονότα. Και τα δύο. Τι είναι η αλήθεια;

Το Ίντερνετ

ΑΣΠΑΣΙΑ:

Γι' αυτό, Αλέξανδρε, ασκούμε κριτική. Δεν πιστεύουμε έτσι εύκολα τις φήμες! Όταν έχουμε αυτοψία, πιστεύουμε το γεγονός. Δηλαδή όταν το **βλέπουμε**, το πιστεύουμε. Όταν δεν το **βλέπουμε**, δεν το πιστεύουμε.

Βλέπουμε
we see

ΑΛΕΞΑΝΔΡΟΣ :

Δύσκολα αυτά που μου λες, Ασπασία. Γι' αυτό σου λέω. Πάμε σινεμά. Εκεί δεν είναι σημαντική η αλήθεια ή το ψέμμα. Βλέπουμε μια ιστορία επειδή **μας αρέσει**.

Μας αρέσει.
We like

ΑΣΠΑΣΙΑ :

Τι σημαίνει μας αρέσει; Σημαντικό είναι τι **μαθαίνεις**, όχι τι σου αρέσει. Από τα γεγονότα, **μαθαίνεις**. Από τα ψευδή γεγονότα **μαθαίνεις** ψευδή. Άρα δεν πάμε σινεμά, Αλέξανδρε, ούτε ακούω μύθους και παραμύθια. Για τον Θεμιστοκλή ξέρεις κάτι;

Μαθαίνεις
to learn

ΑΛΕΞΑΝΔΡΟΣ :

Ξέρω, Ασπασία. Αλλά **κουράστηκα** σήμερα. Θα διαβάσω καλά και σου λέω αύριο.

Κουράστηκα
I am tired

ΑΣΚΗΣΕΙΣ ΚΑΤΑΝΟΗΣΗΣ ΔΙΑΛΟΓΟΥ

COMPREHENSION EXERCISES

1. **Η Ασπασία θέλει να μάθει, γι' αυτό ψάχνει την;**

   α) Σοφία, την φίλη της Κατερίνας.

   β) σοφία, την γνώση των πραγμάτων.

   γ) τη νύφη της Ασπασίας, την Σοφία.

   δ) τη νύφη της Σοφίας, την Ασπασία.

2. **Πώς λένε το κοριτσι που έχει διάλογο με τον Αλέξανδρο;**

   α) Μαρία

   β) Μαρίζα

   γ) Περσεφόνη

   δ) Ασπασία

3. **Τι είναι η μυθολογία, σύμφωνα με τον Αλέξανδρο;**

   α) χρήσιμη

   β) παραμύθια και ενδείξεις

   γ) ιστορία

   δ) χρήσιμα παραμύθια

4. **Τι είναι η αυτοψία;**

   α) είναι όταν ακούμε κάτι.

   β) είναι όταν τρώμε κάτι.

   γ) είναι όταν βλέπουμε κάτι.

   δ) είναι όταν μυρίζουμε κάτι.

5. **Πότε δεν έχει σημασία η αλήθεια και το ψέμα που λέει ο Αλέξανδρος;**

   α) στο σινεμά

   β) στην ιστορία

   γ) στην επιστήμη

   δ) πάντα έχει σημασία η αλήθεια και το ψέμα

6. **Ασκούμε κριτική όπως λέει η Ασπασία:**

   α) όταν δεν πιστεύουμε σε φήμες

   β) όταν πιστεύουμε σε φήμες

   γ) όταν πιστεύουμε σε όλα

   δ) όταν πιστεύουμε στα παραμύθια

ΑΣΚΗΣΕΙΣ ΓΙΑ ΚΟΥΒΕΝΤΑ ΔΙΑΛΟΓΟΥ

DISCUSSION EXERCISES

1. **Πώς ξεχωρίζεις τι είναι φήμες και τι γεγονότα; Πώς διαλέγεις τι πιστεύεις;**

2. **Πώς μαθαίνεις τα νέα κάθε μέρα;**

3. **Το ωραίο είναι και χρήσιμο; Ή όχι; Ό,τι σου αρέσει είναι εύκολο; Ή δύσκολο;**

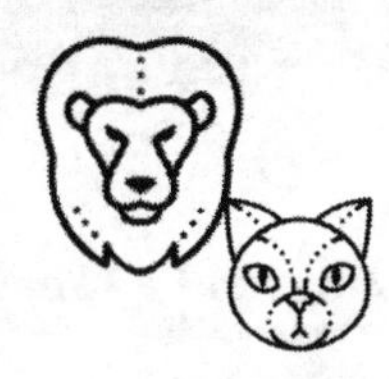

5

Ο ΗΡΑΚΛΗΣ ΚΑΙ Ο ΑΛΕΞΑΝΔΡΟΣ

το λιοντάρι

ΑΛΕΞΑΝΔΡΟΣ :

Και αυτός εκεί ο κύριος; Με το **λιοντάρι**; Ποιος είναι; Κύριε, συγγνώμη, πώς λέγεστε; Ποιος είστε;

ΗΡΑΚΛΗΣ :

Εγώ είμαι ο Ηρακλής! Με λένε Ηρακλή. Εσύ ποιος είσαι;

δυνατός

Μεγάλος
big

ΑΛΕΞΑΝΔΡΟΣ :

Εγώ είμαι ο Αλέξανδρος. Κύριε Ηρακλή, γιατί είστε **μεγάλος** και **δυνατός**;

Ο Δίας

μισός θεός
demigod

ΗΡΑΚΛΗΣ :

Γιατί η μητέρα μου είναι η Αλκμήνη, αλλά πατέρας μου είναι θεός. Ο Θεός! **Ο Δίας**, ο μεγάλος! Άρα εγώ είμαι **μισός θεός**. Ημίθεος!

ΑΛΕΞΑΝΔΡΟΣ :

Και τώρα; Τι κάνετε εκεί;

Χτυπάω

ΗΡΑΚΛΗΣ :

Χτυπάω ένα λιοντάρι! Αλλά αυτό το βέλος δεν κάνει.
Ο ξάδερφός μου, ο Ευρυσθέας, μου δίνει συνέχεια άθλους. Και εγώ τους κάνω.

Λιονταράκι
a small lion

ΑΛΕΞΑΝΔΡΟΣ :

Δύσκολα ναι; Είναι πολύ μεγάλο το λιοντάρι αυτό! Πω πω πω!

μικρό
small

Γατάκι

ΗΡΑΚΛΗΣ :

Δεν είναι μεγάλο το λιοντάρι της Νεμέας! **Μικρό** είναι. Λιονταράκι. Ααααπ!
Τίποτα δεν είναι **δύσκολο** για μένα. Ώπα. Ορίστε.
Γατάκι λιονταράκι! Τέλος!

Πανεύκολο | **Εύκολο** Easy | **Δύσκολο** difficult | **Πολύ δύσκολο** | **Αδύνατον**

ΑΛΕΞΑΝΔΡΟΣ :
Κύριε Ηρακλή, πού μένετε;

ΗΡΑΚΛΗΣ :
Μένω στη Θήβα! Αλλά τώρα με το Λιοντάρι της Νεμέας, μένω όπου είμαι την ώρα του άθλου! Πάμε τώρα;

ο δρόμος

ΑΛΕΞΑΝΔΡΟΣ :
Πού πάμε;

ΗΡΑΚΛΗΣ :
Πάμε και σου λέω **στο δρόμο**... Αλλά τα "Κύριε" και οι **πληθυντικοί**, τέλος! Είμαστε φίλοι. Θα μου μιλάς στον **ενικό**! Εντάξει;

στο δρόμο
on the road

Πληθυντικοί
plural

ΑΛΕΞΑΝΔΡΟΣ :
Εντάξει. Θα σου **μιλώ** στον **ενικό**.

Ενικό
singular

Μιλώ

ΑΣΚΗΣΕΙΣ ΚΑΤΑΝΟΗΣΗΣ ΔΙΑΛΟΓΟΥ

COMPREHENSION EXERCISES

1. **Ποιος είναι ο κύριος με το λιοντάρι;**

   α) ο Αλέξανδρος

   β) ο Αλέκος

   γ) ο Ηρακλής

   δ) ο Αλέξανδρος και Αλέκος

2. **Η μητέρα του Ηρακλή είναι η**

   α) Δήμητρα

   β) Αλκμήνη

   γ) Αλεξάνδρα

   δ) Ήρα

3. **Από πού είναι ο Ηρακλής;**

   α) από την Νεμέα

   β) από την Αθήνα

   γ) από την Θήβα

   δ) από την Κόρινθο

4. **Ο Ηρακλής είναι ημίθεος, δηλαδή;**

   α) ήρωας

   β) μισός θεός

   γ) θεός

   δ) φιλόσοφος

5. **Ο πατέρας του Ηρακλή είναι**

   α) ιερέας

   β) θεός

   γ) ο θεός ο Δίας

   δ) ο Ποσειδώνας

ΑΣΚΗΣΕΙΣ ΓΙΑ ΚΟΥΒΕΝΤΑ ΔΙΑΛΟΓΟΥ

DISCUSSION EXERCISES

1. **Ο Ηρακλής είναι από ευγενική γενιά μόνο; Ανήκει σε μία φυλή; Ή προέρχεται από δύο οικογένειες; Τι συνέπειες έχει αυτό κατά τη γνώμη σου;**

2. **Τι κάνει ένα πράγμα δύσκολο; Το μέγεθός του; Ή το πώς το βλέπουμε;**

3. **Πώς μιλάς ευγενικά εσύ στην μητρική σου γλώσσα και στα ελληνικά;**

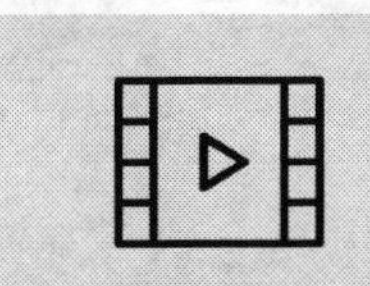

6

ΟΙ ΓΟΝΕΙΣ ΤΟΥ ΕΡΩΤΑ

ΑΛΕΞΑΝΔΡΟΣ :

Ε, Έρωτα! Ποια είναι αυτή; Όμορφη είναι!

ΕΡΩΤΑΣ :

Α! Αυτή είναι θεά! Είναι η θεά μου και μαμά μου, η Αφροδίτη!

ΑΛΕΞΑΝΔΡΟΣ :

Η Αφροδίτη είναι η μαμά σου; Και τι κάνει η μαμά σου;

ΕΡΩΤΑΣ :

Την μαμά μου την λένε Αφροδίτη, γιατί είναι από τον αφρό **της θάλασσας**! Τι κάνει η Αφροδίτη; Τίποτε δεν κάνει. Η Αφροδίτη λέει ψέμματα όλη την ημέρα. Και εγώ λέω ψέμματα όλη την ημέρα.

Η θάλασσα, της θάλασσας
of the sea

ΑΛΕΞΑΝΔΡΟΣ :

Και μπαμπάς σου ποιος είναι; Αυτός εκεί με **τα όπλα**;

τα όπλα

Ο Αρης

ο στρατιώτης
the soldier

Η Φωτογραφία

Η Τοιχογραφία
mural

ΕΡΩΤΑΣ :
Ναι, αυτός. **Ο Άρης ο στρατιώτης**!

ΑΛΕΞΑΝΔΡΟΣ :
Και αυτός; Ο μικρός;

ΕΡΩΤΑΣ :
Αυτός ο μικρός είμαι εγώ.

ΑΛΕΞΑΝΔΡΟΣ :
Ωραία **φωτογραφία**!

ΕΡΩΤΑΣ :
Δεν είναι **φωτογραφία**! **Τοιχογραφία** είναι!

ΑΛΕΞΑΝΔΡΟΣ :
Δίκιο έχεις. **Τοιχογραφία**, λοιπόν...

ΑΣΚΗΣΕΙΣ ΚΑΤΑΝΟΗΣΗΣ ΔΙΑΛΟΓΟΥ

COMPREHENSION EXERCISES

1. **Πώς λένε τον θεό στον διάλογο;**
   α) Αλέξανδρο
   β) Αλέκο
   γ) Ερωτα
   δ) Ηρακλή

2. **Ο πατέρας του Έρωτα είναι**
   α) ο Δίας
   β) ο Άρης
   γ) ο Ποσειδώνας
   δ) δεν έχει πατέρα ο Έρωτας

3. **Η μητέρα του Έρωτα είναι**
   α) η Δήμητρα
   β) η Αφροδίτη
   γ) η Περσεφόνη
   δ) δεν έχει μητέρα ο Έρωτας

4. **Πως λέγεται η εικόνα με τον Έρωτα και τους γονείς του;**
   α) φωτογραφία
   β) τοιχογραφία
   γ) εικονογραφία
   δ) ζωγραφιά

5. **Τι κρατάει ο μπαμπάς του Έρωτα;**
   α) όπλα
   β) φίδια
   γ) μία φωτογραφία
   δ) μία τοιχογραφία

ΑΣΚΗΣΕΙΣ ΓΙΑ ΚΟΥΒΕΝΤΑ ΔΙΑΛΟΓΟΥ

DISCUSSION EXERCISES

1. **Κατά τη γνώμη σου, έχει κοινά ο Έρωτας με τον Πόλεμο;**

2. **Τι πιστεύεις για τα όπλα; Τα αληθινά όπλα, αλλά και το όπλο του μυαλού, το νου. Ποιο είναι πιο δυνατό;**

3. **Τι είναι όμορφο για σένα; Το όμορφο είναι πάντα και καλό κατά τη γνώμη σου;**

7

ΜΙΑ ΟΙΚΟΓΕΝΕΙΑ, ΤΟΥ ΗΡΑΚΛΗ

ΑΛΕΞΑΝΔΡΟΣ :

Ηρακλή, καλημέρα.

ΗΡΑΚΛΗΣ :

Καλημέρα, Αλέξανδρε. Πάμε; Σήμερα βλέπω τον Ευρυσθέα.

ΑΛΕΞΑΝΔΡΟΣ :

Εσύ βλέπεις τον Ευρυσθέα; Γιατί;

ΗΡΑΚΛΗΣ :

Ωωωωω! Μεγάλη ιστορία! Σου λέω;

ΑΛΕΞΑΝΔΡΟΣ :

Μου λες, παρακαλώ; Τι είναι ο Ευρυσθέας;

Ο Ξάδερφος
cousin

Ο Πατέρας
father

ΗΡΑΚΛΗΣ :

Ο Ευρυσθέας είναι **ξάδερφος**. Αλλά ένα - ένα! Λοιπόν, ο **πατέρας** μου ποιος είναι;

ΑΛΕΞΑΝΔΡΟΣ :

Ο πατέρας σου είναι ο Δίας, ο Θεός. Γιατί Ηρακλή; Χμ! Η μητέρα σου ποια είναι;

ΗΡΑΚΛΗΣ :

Μπράβο! Λοιπόν, ναι. Η μητέρα μου δεν είναι θεά. Ένα - ένα όμως! **Ο Δίας** δουλεύει όλες τις δουλειές. Αλλά οι άλλοι θεοί όχι. Ο θεός **Ποσειδώνας** είναι **ψαράς**, η θεά **Δήμητρα** είναι **αγρότισσα**. Έχει **φάρμα. Ο Απόλλων** είναι μάντης και **μουσικός, ο Άρης** είναι **στρατιώτης**, και η Αφροδίτη είναι όμορφη. Μεγάλη οικογένεια!

Ο Ποσειδώνας είναι θείος μου, δηλαδή αδερφός του Δία, του πατέρα μου. Ψαρεύει στη θάλασσα με την τρίαινα. **Η Εστία** είναι θεία μου, δηλαδή αδερφή του Δία. Μαγειρεύει και καθαρίζει το σπίτι.

Ο Ψαράς
Fisherman

Η Αγρότισσα
farmer

Η Φάρμα
farm

η μουσικός
musician

Ο Στρατιώτης
soldier

Η Εστία
Vesta (but also verb, εστιάζω, to focus)

Η Οικογένεια

ΑΛΕΞΑΝΔΡΟΣ :

Ωραία, ωραία. Ξέρω, είναι μεγάλη **οικογένεια**. Δώδεκα θεοί! Τελοσπάντων, και;

ΗΡΑΚΛΗΣ :

Ναι, οικογένεια, αλλά είναι δύσκολα τα πράγματα. Η Ήρα είναι μητριά μου, όχι μητέρα μου. Μητριά μου, θετή μου μητέρα! Παντρεύτηκε τον πατέρα μου, αλλά δεν είναι η βιολογική μου μητέρα. Με μισεί, γιατί ο άντρας της, ο Δίας είναι μπαμπάς μου. Η Ήρα ζηλεύει πολύ τον Δία. Αυτή έχει πολλά πολλά νεύρα! Η Ήρα κάνει τη ζωή μου δύσκολη. Θυμάμαι, μικρό παιδί, μωρό και η Ήρα στέλνει δύο φίδια. Τι κακή γυναίκα! Εγώ με δύναμη τα σκοτώνω. Πάλι καλά! Δόξα τω θεώ, δόξα τω Δία, ευτυχώς! Αλλά και τώρα με μισεί. Μία ημέρα, μου στέλνει **μανία** και κάνω κακό στα παιδιά μου και τη γυναίκα μου, την Μεγάρα. Μεγάλο κακό! Πάω στον Απόλλωνα. "Ω Απόλλωνα, μάντη θεέ, τι κάνω τώρα;" λέω. "Τώρα" μου λέει η **Πυθία** "εμπρός στις Μυκήνες, στον βασιλιά!" "Ω Απόλλωνα, πώς λένε τον **Βασιλιά**;" ρωτάω. "Αυτόν τον λένε Ευρυσθέα! Τώρα υπηρετείς τον Ευρυσθέα! Τώρα κάνεις άθλους! Δώδεκα άθλους! Μετά θα είσαι Θεός. Μετά θα πας στον Όλυμπο. Τώρα είσαι ημίθεος. Έξω!"

Η Μανία
Mania

Η Πυθία

Ο Βασιλιάς

ΑΛΕΞΑΝΔΡΟΣ :

Και εσύ τι κάνεις μετά;

ΗΡΑΚΛΗΣ :

Μετά εγώ πάω στον Ευρυσθέα, τον **Βασιλιά**. Πολύ κακός **Βασιλιάς** ο Ευρυσθέας. "Θέλω αυτό, θέλω αυτό!" όλη την ώρα.

ΑΛΕΞΑΝΔΡΟΣ :

Δηλαδή;

ΗΡΑΚΛΗΣ :

Δηλαδή όλη την ώρα κάνω άθλους. Δέκα; Δώδεκα; Δεν ξέρω!

ΑΛΕΞΑΝΔΡΟΣ :

Πω πω, μεγάλη ιστορία! Και πολύ χάλια…

ΗΡΑΚΛΗΣ :

Πολύ χάλια, αλλά έχω δύναμη. Εντάξει.

ΑΛΕΞΑΝΔΡΟΣ :

Και τώρα πού πας;

ΗΡΑΚΛΗΣ :

Πάω αυτό εδώ το λιοντάρι στον Ευρυσθέα. Ω-πα! (σφίξιμο γιατί σηκώνει την λεοντή) Στις Μυκήνες. Πάμε;

ΑΛΕΞΑΝΔΡΟΣ :

Πάμε!

ΑΣΚΗΣΕΙΣ ΚΑΤΑΝΟΗΣΗΣ ΔΙΑΛΟΓΟΥ

COMPREHENSION EXERCISES

1. **Πού μένει ο Ευρυσθέας;**
   α) στις Μυκήνες
   β) στην Κόρινθο
   γ) στην Αθήνα
   δ) στην Νεμέα

2. **Τι είναι ο Ευρυσθέας;**
   α) αδελφός του Ηρακλή
   β) ξάδελφος του Ηρακλή
   γ) αδελφός του Αλέξανδρου
   δ) ξάδελφος του Αλέξανδρου

3. **Τι είναι ο Απόλλωνας;**
   α) είναι ήρωας
   β) είναι θεός και μάντης
   γ) είναι βασιλιάς
   δ) είναι μάντης

4. **Ο θεός Ποσειδώνας είναι**
   α) στρατιώτης
   β) μάντης
   γ) αγρότης
   δ) ψαράς

5. **Ο θεός Άρης είναι**
   α) αγρότης
   β) στρατιώτης
   γ) φιλόσοφος
   δ) ψαράς

ΑΣΚΗΣΕΙΣ ΓΙΑ ΚΟΥΒΕΝΤΑ ΔΙΑΛΟΓΟΥ

DISCUSSION EXERCISES

1. **Οι αρχαίοι θεοί διαλέγουν τι δουλειές κάνουν; Κάνουν δουλειές του μυαλού ή με τα χέρια τους;**

2. **Κατά τη γνώμη σου, οι αρχαίοι θεοί είναι αυτό που θα λέγαμε σήμερα καλοί πάντα; Έχουν ανθρώπινα πάθη;**

3. **Τι είναι η μανία στην αρχαία μυθολογία; Τι είναι για σένα η μανία σήμερα;**

8

Ο ΠΟΛΕΜΟΣ ΣΤΟΝ ΕΡΩΤΑ

ΕΡΩΤΑΣ :

Τι είναι αυτό εκεί, αυτό στα χέρια σου, Αλέξανδρε;

ΑΛΕΞΑΝΔΡΟΣ :

Στα χέρια μου; Αυτό είναι ένα **βιβλίο**. Γιατί;

Το Βιβλίο

ΕΡΩΤΑΣ :

Βιβλίο; Ποιο **βιβλίο** είναι αυτό;

ΑΛΕΞΑΝΔΡΟΣ :

Είναι τα "Αντιφάρμακα του Έρωτα" του Οβιδίου του ποιητή.

ΕΡΩΤΑΣ :

Ωχ όχι! Αυτό το **βιβλίο**; Γιατί;

ΑΛΕΞΑΝΔΡΟΣ :

Γιατί όχι; Είναι καλό **βιβλίο**.

ΕΡΩΤΑΣ :

Απολύτως όχι! Αυτό το βιβλίο είναι **πόλεμος**, **πόλεμος** στον έρωτα, **πόλεμος** σε εμένα! Φεύγω, καταραμένε Οβίδιε!

Ο Πόλεμος
war

ΑΛΕΞΑΝΔΡΟΣ :

Όχι, δεν λέει κακά για εσένα αυτό το βιβλίο. Σιγά!

ΕΡΩΤΑΣ :

Και τι λέει; Λέει πολύ κακά για μένα! **Αλήθεια** σου λέω, αυτό το βιβλίο είναι πόλεμος, Αλέξανδρε!

ΑΛΕΞΑΝΔΡΟΣ :

Αυτό το βιβλίο; Όχι! Λέει ότι η **δουλειά** κάνει καλό. Λέει ότι για τον άτυχο έρωτα το καλό **φάρμακο** είναι η δουλειά, **οι νόμοι** ή ο πόλεμος ή **η αγροτική ζωή**. Έρωτα, εσύ είσαι ένα παιδί. Τα παιδιά παίζουν. Και εσύ, σου πάει να παίζεις.

ΕΡΩΤΑΣ :

Μου πάει να **παίζω**; Άρα και **ψέμματα** λέω και όλα! Ναι;

ΑΛΕΞΑΝΔΡΟΣ :

Εσύ, Έρωτα, και ψέμματα λες και αλήθεια λες. Το βιβλίο είναι για τον ψεύτη έρωτα. Το βιβλίο είναι για όταν λες ψέμματα, Έρωτα. Όταν λες ψέμματα, προδίδεις την αλήθεια! Να, παράδειγμα, **ο Πάρης και η Ελένη**. Το βιβλίο λέει, το διαβάζει ο Πάρης; Ο Πάρης μαθαίνει για τον έρωτα της αλήθειας. Έτσι, η Ελένη μένει γυναίκα του **Μενελάου**, ο Πάρης μένει στην **Τροία** και όλα καλά. Όλοι λένε μόνο την αλήθεια και δεν έχουμε πόλεμο.

Η Αλήθεια
truth

Η Δουλειά
work

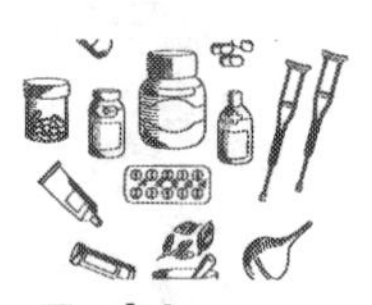

Το Φάρμακο

οι Νόμοι
laws

Η αγροτική ζωή
rural life

Παίζω
I'm playing

τα ψέμματα
lies

Ο Πάρης και η Ελένη
Paris and Helen

Ο Μενέλαος
Menelaus

Η Τροία
Troy

ΕΡΩΤΑΣ :

Ναι, αλλά έτσι, Αλέξανδρε, δεν έχουμε πόλεμο, δεν έχουμε Ιλιάδα. Όλοι λένε μόνο την αλήθεια, αλλά ο Πάρης λέει ψέματα. Ποια είναι ωραία; Η Ήρα; Η Αθηνά; Ή η μαμά μου, η Αφροδίτη; Έτσι δεν είναι παιχνίδι, Αλέξανδρε! Δεν παίζω έτσι! Φεύγω τώρα!

ΑΛΕΞΑΝΔΡΟΣ :

Και πού πας τώρα Έρωτα;

ΕΡΩΤΑΣ :

Δεν ξέρω, φεύγω! Σίγουρα! Γεια σου, γεια σου, Αλέξανδρε! Ζήτω το παιχνίδι!

ΑΛΕΞΑΝΔΡΟΣ :

Α αυτός είναι **τρελούτσικος**! Γεια σου Έρωτα!

Τρελούτσικος
eccentric

ΑΣΚΗΣΕΙΣ ΚΑΤΑΝΟΗΣΗΣ ΔΙΑΛΟΓΟΥ

COMPREHENSION EXERCISES

1. **Ποιο βιβλίο κρατάει στα χέρια του ο Αλέξανδρος;**

   α) «τα αντιφάρμακα του Έρωτα»

   β) «τα αντιφάρμακα του Οβίδιου»

   γ) «τα φάρμακα του Έρωτα»

   δ) «τα φάρμακα του Οβίδιου»

2. **Ο Έρωτας λέει ότι αυτό το βιβλίο λέει**

   α) κακά πράγματα για τον Έρωτα

   β) καλά πράγματα για τον Έρωτα

   γ) τα φάρμακα για τον Έρωτα

   δ) για αντιφάρμακα

3. **Ο Έρωτας**

   α) λέει ψέματα

   β) λέει αλήθειες

   γ) λέει ψέματα και αλήθειες

   δ) λέει κακά πράγματα

4. **Ο Πάρης μαθαίνει για τον Έρωτα**

   α) της αλήθειας

   β) του ψέματος

   γ) του πολέμου

   δ) της φιλοσοφίας

ΑΣΚΗΣΕΙΣ ΓΙΑ ΚΟΥΒΕΝΤΑ ΔΙΑΛΟΓΟΥ

DISCUSSION EXERCISES

1. **Τι είναι για σένα έρωτας σήμερα; Πώς βρίσκεται; Χρειάζεται φάρμακα και αντιφάρμακα όπως προτείνει ο Οβίδιος;**

2. **Πώς ζεις έναν άτυχο έρωτα; Ποιος έρωτας δεν είναι άτυχος;**

3. **Τι είναι παιχνίδι για σένα;**

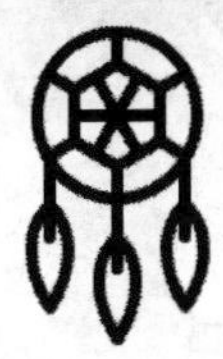

9
ΤΟ ΟΝΕΙΡΟ ΤΟΥ ΗΡΑΚΛΗ

ΑΛΕΞΑΝΔΡΟΣ :
Ηρακλή! Ε, Ηρακλή! Τι κάνεις;

ΗΡΑΚΛΗΣ :
(Ροχαλητό πάλι)

ΑΛΕΞΑΝΔΡΟΣ :
Ηρακλή! Πού είσαι;

ΗΡΑΚΛΗΣ :
(Ροχαλητό - τρομάζει) Ωχού! Εδώ είμαι! Στον Άδη! Μπα, μα τον Δία; Στον Άδη; Στον Κάτω Κόσμο; Τι κάνω εγώ στον Κάτω Κόσμο; Αφού είμαι **ζωντανός**, δεν είμαι **πεθαμένος**!

Ο ζωντανός
someone living

Ο πεθαμένος
dead

ΑΛΕΞΑΝΔΡΟΣ :
Ηρακλή, ζωντανός είσαι, δεν είσαι στον Κάτω Κόσμο!

ΗΡΑΚΛΗΣ :
Ωχ ναι. Πω πω πω! Τι **όνειρο** και αυτό! Βλέπω **όνειρο** στον ύπνο μου και τι βλέπω ρε Αλέξανδρε;

Το Όνειρο
dream

Το Σκυλί

τρία κεφάλια
three heads

ο Κέρβερος

Το κεφάλι δράκου

Η ουρά του Κερβέρου
tail of Cerberus

Ο Ποταμός

οι Ψυχές
souls

Το Κρασί

ΑΛΕΞΑΝΔΡΟΣ :
Τι βλέπεις, Ηρακλή;

ΗΡΑΚΛΗΣ :
Να, βλέπω τρελά πράγματα! Είμαι, λέει, στον Κάτω Κόσμο. Κυνηγάω ένα **σκυλί**, με **τρία κεφάλια**, τον **Κέρβερο**.

ΑΛΕΞΑΝΔΡΟΣ :
Α ναι, **ο Κέρβερος**! Το ξέρω αυτό το σκυλί! Τρομερό σκυλί! Τρία κεφάλια και στην ουρά ένας δράκος! Αλλά πώς και βλέπεις αυτό το όνειρο;

ΗΡΑΚΛΗΣ :
Ναι, δεν ξέρω! Τρελά πράγματα! Αυτό **το κεφάλι δράκου** στην **ουρά του Κερβέρου** με δαγκώνει. Εγώ παλεύω με τα τρία κεφάλια, στις Πύλες του Άδη.

ΑΛΕΞΑΝΔΡΟΣ :
Στον **Ποταμό** Αχέροντα;

ΗΡΑΚΛΗΣ :
Ναι, στον **ποταμό** Αχέροντα! Πολύ σκοτάδι εκεί, πολλά δέντρα και πολλές **ψυχές** ανθρώπων πεθαμένων. Φωνάζουν γιατί πάνε στον Κάτω Κόσμο. Οι πεθαμένοι θέλουνε **κρασί**.

ΑΛΕΞΑΝΔΡΟΣ :
Και μετά τι κάνεις; Σκοτώνεις τον Κέρβερο;

ΗΡΑΚΛΗΣ :

Όχι, δεν σκοτώνω τον Κέρβερο. Τον δένω δυνατά με **τα χέρια** μου. Μετά βλέπω τον Μελέαγρο, τον ήρωα από τον Πόλεμο της Τροίας.

τα χέρια

ΑΛΕΞΑΝΔΡΟΣ :

Και τι σου λέει;

ΗΡΑΚΛΗΣ :

Ο Μελέαγρος; Τρελά πράγματα μου λέει. "Αυτή είναι η γυναίκα σου, Ηρακλή!"
"Ποια είναι η γυναίκα μου, Μελέαγρε;" τον ρωτάω.
"Αυτή εδώ, η αδερφή μου, η Δηιάνειρα!"

ΑΛΕΞΑΝΔΡΟΣ :

Καλά λέει ο Μελέαγρος, η Δηιάνειρα είναι η γυναίκα σου.

ΗΡΑΚΛΗΣ :

Ναι, αλλά αυτό το όνομα δεν μου αρέσει. Δεν είναι καλό όνομα το "Δηιάνειρα". Ξέρεις τι σημαίνει "Δηιάνειρα";

ΑΛΕΞΑΝΔΡΟΣ :

Όχι, τι σημαίνει;

ΗΡΑΚΛΗΣ :

Σημαίνει "αυτή που καταστρέφει τον άντρα της". Δηλαδή, τον Ηρακλή! Δεν θέλω την **καταστροφή** μου, Αλέξανδρε. Ωχ τώρα. Τι όνειρο και αυτό. Εγώ,

Η Καταστροφή
destruction

Αλέξανδρε, είμαι παντρεμένος με τη Μεγάρα. Τώρα η Μεγάρα δεν είναι εδώ, είναι στον Κάτω Κόσμο. Άλλη γυναίκα; Νέα; Η Δηιάνειρα;

ΑΛΕΞΑΝΔΡΟΣ :
Παιδιά έχεις, Ηρακλή;

ΗΡΑΚΛΗΣ :
Τώρα δεν έχω πια. Γιατί;

ΑΛΕΞΑΝΔΡΟΣ :
Ε, η Δηιάνειρα κάνει παιδιά! Καλό νέο δηλαδή!

ΗΡΑΚΛΗΣ :
Δεν ξέρω. Εγώ δεν **πιστεύω** πολύ στα όνειρα. Ευτυχώς τώρα δεν **κοιμάμαι** και **βλέπω καθαρά**. Λοιπόν, πάμε; Έχουμε άθλους πολλούς μπροστά!

Πιστεύω
believe

Κοιμάμαι

βλέπω καθαρά
I see clearly

ΑΛΕΞΑΝΔΡΟΣ :
Πολλούς; Δηλαδή;

ΗΡΑΚΛΗΣ :
Δηλαδή τώρα έχω αυτό το λιοντάρι της Νεμέας. Ο Ευρυσθέας θέλει αυτό το λιοντάρι στις Μυκήνες. Πάμε;

ΑΛΕΞΑΝΔΡΟΣ :
Πάμε, λοιπόν. Στις Μυκήνες!

ΑΣΚΗΣΕΙΣ ΚΑΤΑΝΟΗΣΗΣ ΔΙΑΛΟΓΟΥ

COMPREHENSION EXERCISES

1. **Η Διηάνειρα είναι η**
   α) γυναίκα του Ηρακλή
   β) γυναίκα του Μελέαγρου
   γ) αδελφή του Αλέξανδρου
   δ) αδελφή του Μελέαγρου

2. **Τι σημαίνει το όνομα «Διηάνειρα»;**
   α) καταστρέφει τον άντρα της
   β) καταστρέφει τον αδελφό της
   γ) καταστρέφει τον εξάδελφό της
   δ) καταστρέφει το παιδί της

3. **Ο Κέρβερος είναι ένα τέρας**
   α) σκυλί με τέσσερα κεφάλια και τέσσερα πόδια
   β) σκυλί με τρία κεφάλια
   γ) ψάρι με δύο κεφάλια
   δ) σκυλί με έξι πόδια και τέσσερα κεφάλια

4. **Η γυναίκα του Ηρακλή είναι η**
   α) Ελένη
   β) Δήμητρα
   γ) Μεγάρα
   δ) Αθηνά

5. **Ο Ευρυσθέας θέλει το λιοντάρι**
   α) στην Νεμέα
   β) στην Σπάρτη
   γ) στις Μυκήνες
   δ) στην Αθήνα

ΑΣΚΗΣΕΙΣ ΓΙΑ ΚΟΥΒΕΝΤΑ ΔΙΑΛΟΓΟΥ

DISCUSSION EXERCISES

1. **Σου αρέσουν τα ζώα; Είναι για χρήση ή για συντροφιά και παρέα;**

2. **Πιστεύεις στα όνειρα και τη δύναμη τους; Αν όχι, γιατί;**

3. **Στην αρχαία Ελλάδα υπήρχε ο Αχέροντας, ο Κάτω Κόσμος και ο Άδης. Σε άλλες θρησκείες υπάρχει ο Παράδεισος ή το Τιαμ του Κομφούκιου ή η Βραχμαλόκα του Βουδισμού. Εσύ πιστεύεις στο Επέκεινα και τη Ζωή μετά θάνατον;**

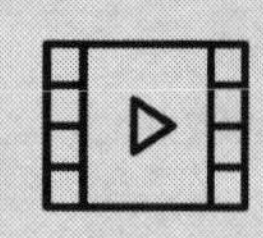

10
Ο ΗΡΑΚΛΗΣ ΣΤΟΝ ΕΥΡΥΣΘΕΑ

Εδώ
here

Πού
Where?

Μέσα **Έξω**

Το παλάτι

Το πιθάρι
the Pythos

Εκεί
there

Ψηλά
high

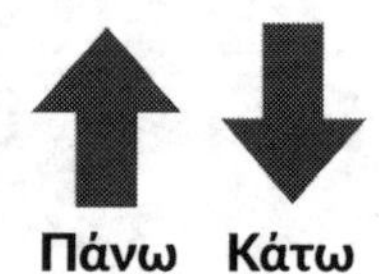

Πάνω **Κάτω**

Η αγορά
the market

ΗΡΑΚΛΗΣ :

Ευρυσθέα! Ε, Ευρυσθέα! Είμαι **εδώ**! Έχω το Λιοντάρι της Νεμέας! **Πού** είσαι;

ΑΛΕΞΑΝΔΡΟΣ :

Ναι, πού είναι αυτός; Είμαστε **μέσα** στο παλάτι, αλλά αυτός δεν είναι εδώ. Πού είναι ο Ευρυσθέας; Μήπως είναι **έξω** από το **παλάτι**;

ΗΡΑΚΛΗΣ :

Δεν ξέρω πού είναι… Ευρυσθέα! Ε, Ευρυσθέα! Ο Ηρακλής είμαι, έχω το λιοντάρι! Είσαι εδώ; Μπα… Μόνο ένα **πιθάρι** βλέπω εδώ. **Εκεί** πίσω είναι ο θρόνος του Βασιλιά Ευρυσθέα, αλλά ο ίδιος ο Ευρυσθέας δεν είναι εδώ. Μήπως είναι **πάνω**, στην Ακρόπολη των Μυκηνών, **ψηλά** στο βουνό;

ΑΛΕΞΑΝΔΡΟΣ :

Πάω εγώ **κάτω** στην **αγορά**. Ρωτάω εγώ εκεί, και σου λέω τι μαθαίνω. Μετά, πάω πάνω, στην Ακρόπολη, ίσως είναι εκεί.

ΗΡΑΚΛΗΣ :

Εντάξει. Εγώ περιμένω εδώ. Βλέπω μόνο ένα πιθάρι. Τι έχει μέσα; **Μισό λεπτό**, Αλέξανδρε. Τι έχει αυτό το πιθάρι μέσα; **Ελιές**; **Λάδι**; Κρασί; Νερό; **Διψάω**, θέλω λίγο νερό. Για να δω, τι έχει μέσα…

Μισό λεπτό!
Just a minute!

Οι ελιές

Το λάδι

ΑΛΕΞΑΝΔΡΟΣ :

Τι έχει; Τι έχει μέσα στο πιθάρι; Ο Ευρυσθέας, πάντως, πιστεύω είναι έξω από το παλάτι. Ο Ευρυσθέας μάλλον είναι στην **πόλη**, στην Αγορά ή δεν ξέρω. Πάντως, έξω από τα **τείχη**, στους αγρούς, δεν είναι. Ο Ευρυσθέας είναι μέσα στα τείχη, μέσα στην πόλη, αλλά έξω από το παλάτι!

Διψάω
to be thirsty

Η πόλη
the city

τα τείχη
the walls

ΗΡΑΚΛΗΣ :

Για να δω… Ωπ! Ρε δεν είμαστε καλά! Ευρυσθέα! Εσύ; Τι κάνεις μέσα στο πιθάρι;

ΕΥΡΥΣΘΕΑΣ :

Φύγε παλιο- λιοντάρι! Πω πω πω έφαγες τον Ηρακλή και τώρα μιλάς! Είσαι πολύ κακό λιοντάρι! Φύγε λιοντάρι, **φοβάμαι**! Ουστ! Ξξξξσσσσσςςς! Ξσσσσσςςς! Ουστ!

Φύγε!
Go away!

Φοβάμαι
to be afraid

ΗΡΑΚΛΗΣ :

Βρε ποιο λιοντάρι; Ο Ηρακλής είμαι! Το σκότωσα το λιοντάρι!

ΕΥΡΥΣΘΕΑΣ :

Εσύ; Σκότωσες το λιοντάρι; Και αυτό τι είναι; Αυτό είναι το λιοντάρι! Δία μου καλέ μου, σώσε, το φοβάμαι αυτό το λιοντάρι! Απα παπα! Ουστ!

ΗΡΑΚΛΗΣ :

Βρε Βασιλιά Ευρυσθέα, αυτό δεν είναι το λιοντάρι! Αυτό είναι το τομάρι του λιονταριού! Σου λέω, το σκότωσα το λιοντάρι, εγώ! Τώρα το έφερα εδώ, για σένα. Το λιοντάρι δεν θέλεις; Αφού λες, "Θέλω το Λιοντάρι της Νεμέας στις Μυκήνες!"

ΕΥΡΥΣΘΕΑΣ :

Δεν σε πιστεύω. Το Λιοντάρι της Νεμέας δεν πεθαίνει. Το Λιοντάρι της Νεμέας είναι αθάνατο και μαγικό. Μαγικά βλέπω και το Λιοντάρι μιλάει με τη φωνή του Ηρακλή. Αχ Δία, γιατί μου τα κάνεις αυτά; Καλός Βασιλιάς είμαι, σε παρακαλώ!

ΗΡΑΚΛΗΣ :

Βρε Βασιλιά Ευρυσθέα, σου λέω, εγώ είμαι ο Ηρακλής, και το σκότωσα το Λιοντάρι. Βλέπεις; (Ω-πα) Αυτό εδώ είναι το τομάρι του Λιονταριού, η Λεοντή! Τη φοράω για ρούχο, γιατί όλοι φοβούνται. Έλα έξω από το πιθάρι, Βασιλιά!

ΕΥΡΥΣΘΕΑΣ :

Δεν βγαίνω έξω από το πιθάρι! Ποτέ! Είμαι καλά εδώ. Έξω από το πιθάρι, φοβάμαι!

ΗΡΑΚΛΗΣ :

Τι φοβάσαι Ευρυσθέα; Το λιοντάρι τέλος! Το χτύπησα με το ρόπαλο, το σκότωσα και σου το έφερα!

ΑΛΕΞΑΝΔΡΟΣ :

Ναι, γιατί φοβάσαι Ευρυσθέα; Το λιοντάρι τέλος! Το χτύπησε ο Ηρακλής με το ρόπαλο, το σκότωσε και σου το έφερε!

ΕΥΡΥΣΘΕΑΣ :

Καλά. Καλά. Σας πιστεύω. Βγαίνω έξω. Την επόμενη φορά όμως, Ηρακλή, ο άθλος σου έξω από το παλάτι. Δεν θέλω θηρία και τέρατα και λιοντάρια εδώ μέσα. Εντάξει; Ο επόμενος άθλος, έξω, στην αυλή ή στην είσοδο των Μυκηνών. Καταλαβαίνεις;

ΗΡΑΚΛΗΣ :

Καταλαβαίνω. Το λιοντάρι τέλος, τώρα τι κάνω;

ΕΥΡΥΣΘΕΑΣ :

Τι τέλος; Περιμένεις, βλέπω τι άλλο δύσκολο έχουμε για σένα και βλέπουμε. Έχεις πολλούς άθλους ακόμα!....

ΑΣΚΗΣΕΙΣ ΚΑΤΑΝΟΗΣΗΣ ΔΙΑΛΟΓΟΥ

COMPREHENSION EXERCISES

1. **Ο Ηρακλής μπαίνει στο Παλάτι του Ευρυσθέα. Τι βλέπει πρώτα;**

   α) τον Ευρυσθέα

   β) ένα λιοντάρι

   γ) ένα πιθάρι

   δ) τον θρόνο του Ευρυσθέα

2. **Ο Αλέξανδρος και ο Ηρακλής πού βρίσκονται;**

   α) μέσα στο παλάτι

   β) έξω από το παλάτι, στην Ακρόπολη των Μυκηνών

   γ) έξω από τα τείχη, στους αγρούς

   δ) μέσα στην πόλη, μέσα στο πιθάρι

3. **Ο Ευρυσθέας πού βρίσκεται;**

   α) μέσα στο παλάτι

   β) έξω από το παλάτι, στην Ακρόπολη των Μυκηνών

   γ) έξω από τα τείχη, στους αγρούς

   δ) μέσα στην πόλη, μέσα στο παλάτι, μέσα στο πιθάρι

4. **Ο Ηρακλής όταν μπαίνει στο παλάτι έχει στα χέρια του**

   α) το λιοντάρι της Νεμέας

   β) τη Λερναία Ύδρα

   γ) τον Ερυμάνθιο Κάπρο

   δ) το τομάρι, το δέρμα του λιονταριού της Νεμέας

5. **Ο Ευρυσθέας τι φοβάται;**

   α) τον Ηρακλή, γιατί είναι πολύ δυνατός

   β) την οργή του Δία, γιατί είναι πολύ δυνατή

   γ) το λιοντάρι της Νεμέας, γιατί είναι πολύ δυνατό

   δ) τον αέρα, γιατί είναι πολύ δυνατός

Άσκηση 1: True or False? / Σωστό ή Λάθος;

If there is a mistake in the sentence, write it correctly.

Σ Λ

1. **Ο Ηρακλής σκότωσε τον Ευρυσθέα, γιατί έτσι θέλησε το λιοντάρι της Νεμέας.** ________

   Αν η πρόταση είναι λάθος, γράψε τη σωστά.

Άσκηση 1: True or False? / Σωστό ή Λάθος;

If there is a mistake in the sentence, write it correctly.

Σ Λ

2. **Ο Αλέξανδρος είναι μαγικός, δεν πεθαίνει, δηλαδή είναι αθάνατος.** ________

Αν η πρόταση είναι λάθος, γράψε τη σωστά.

3. **Ο Ευρυσθέας χτύπησε τον Ηρακλή, τον σκότωσε και τον έφερε στον Αλέξανδρο.** ________

Αν η πρόταση είναι λάθος, γράψε τη σωστά.

4. **Το παλάτι των Μυκηνών, το παλάτι του Ευρυσθέα είναι έξω από την πόλη, στους αγρούς.** ________

Αν η πρόταση είναι λάθος, γράψε τη σωστά.

5. **Ο Ηρακλής είναι πάνω από τη λεοντή, φοράει το τομάρι του λιονταριού για ρούχο.** ________

Αν η πρόταση είναι λάθος, γράψε τη σωστά.

ΑΣΚΗΣΕΙΣ ΓΙΑ ΚΟΥΒΕΝΤΑ ΔΙΑΛΟΓΟΥ

DISCUSSION EXERCISES

1. **Η εξουσία του Ευρυσθέα είναι δίκαιη; Είναι άξιος της δύναμης του κατά τη γνώμη σου;**

2. **Ο Ευρυσθέας φοβάται το λιοντάρι και κρύβεται στο πιθάρι. Εσύ τι φοβάσαι; Πώς το αντιμετωπίζεις;**

11

Ο ΗΡΑΚΛΗΣ, Η ΚΑΚΙΑ ΚΑΙ Η ΑΡΕΤΗ

ΗΡΑΚΛΗΣ :

Τι κάνουμε Αλέξανδρε; Προχωράμε ή περιμένουμε;

Το δίλημμα
dilemma

Ξέρω
to know

ΑΛΕΞΑΝΔΡΟΣ :

Ποιον περιμένουμε; Ή πού προχωράμε; **Δίλημμα**! Δεν **ξέρω**... Εσύ τι λες, Ηρακλή;

ΗΡΑΚΛΗΣ :

Α, θυμάμαι μία άλλη φορά. Ήμουν πάλι σε δίλημμα. Το δίλημμα τότε ήταν μεγάλο. Το δίλημμα τώρα είναι μικρό! Τότε ήταν δύσκολο, τώρα είναι πολύ εύκολο. Ή προχωράμε ή σταματάμε! Αλλά τότε...

ΑΛΕΞΑΝΔΡΟΣ :

Τι έγινε τότε;

Προχωράω
to move forward

Το Σταυροδρόμι
crossroad

ΗΡΑΚΛΗΣ :

Τότε ήμουν μικρός. Ήμουν πολύ νέος. Καθώς **προχωράω** έξω από τη Θήβα, φτάνω σε ένα **σταυροδρόμι**.

ΑΛΕΞΑΝΔΡΟΣ :

Τι είναι το σταυροδρόμι Ηρακλή;

Ο δρόμος

ΗΡΑΚΛΗΣ :

Σταυροδρόμι είναι όταν ένας δρόμος και ένας άλλος **δρόμος** κάνουν σταυρό, δηλαδή ο ένας **δρόμος** γίνεται δύο διαφορετικοί δρόμοι. Κατάλαβες, Αλέξανδρε;

ΑΛΕΞΑΝΔΡΟΣ :

Εντάξει, ναι, κατάλαβα. Λοιπόν;

ΗΡΑΚΛΗΣ :

Λοιπόν, προχωράω. Δεν ξέρω πού πάω. Γιατί μπροστά μου βλέπω δύο δρόμους. Ο ένας δρόμος πάει πάνω, ο άλλος δρόμος πάει κάτω. Εγώ πού να πάω όμως; Πάνω ή κάτω; Μεγάλο το δίλημμα. Δύσκολο. Τότε βλέπω δύο γυναίκες.

ΑΛΕΞΑΝΔΡΟΣ :

Και τι σου λένε οι γυναίκες;

ΗΡΑΚΛΗΣ :

Η μία γυναίκα ήταν πολύ **όμορφη**. Είχε πολύ **σοβαρό** πρόσωπο και **ευγενική** φύση. Το σώμα της ήταν **καθαρό** και αγνό, τα μάτια της χαμηλά. Τα ρούχα της ήταν λευκά, το φόρεμά της απλό και **λευκό**. Αυτή ήταν αδύνατη. Αυτή ήταν μία πολύ **σώφρων** γυναίκα. Το βλέμμα της ήταν χαμηλό.

λευκό
white

όμορφη
beautiful

σοβαρό
serious

ευγενική
noble, polite

καθαρό
clean

ΑΛΕΞΑΝΔΡΟΣ :

Και η άλλη γυναίκα; Πώς ήταν η άλλη γυναίκα;

μακιγιάζ

ΗΡΑΚΛΗΣ :

Και η άλλη γυναίκα όμορφη ήταν. Αλλά το πρόσωπό της δεν ήταν σοβαρό. Είχε πολλά βαψίματα και **μακιγιάζ**. Το σώμα της ήταν γεμάτο χρώματα και αρώματα, τα μάτια της ψηλά. Τα ρούχα της ήταν λαμπερά και φωτεινά, το φόρεμά της περίτεχνο, πολύχρωμο και σχιστό. Το σώμα της ήταν καλοθρεμμένο και πολύσαρκο. Ήταν χοντρή. Κοίταζε μία εδώ, μια εκεί. Το βλέμμα της μία εδώ, μία εκεί, το βλέμμα της μία σε εμένα, μία στη σκιά της.

ΑΛΕΞΑΝΔΡΟΣ :

Και; Τι έκανες εσύ;

ΗΡΑΚΛΗΣ :

Τι έκανα εγώ; Εγώ τις άκουσα. Η πρώτη, η αδύνατη γυναίκα, δεν μίλησε γρήγορα. Μου μίλησε η δεύτερη, η χοντρούλα. Μου είπε :

“Βλέπω, Ηρακλή, δεν ξέρεις ποιον δρόμο θέλεις! Λοιπόν, ο δικός μου ο δρόμος, βλέπεις; Πάει προς τα κάτω. Είναι **εύκολος** και **ευχάριστος**. Ο δρόμος μου δεν έχει δυσκολίες. Μόνο ευκολίες, για όλη σου τη ζωή. Ο δρόμος μου δεν έχει πολέμους, δεν έχει πόνο. Ο δρόμος μου έχει όλα τα φαγητά και

Εύκολος
easy

Ευχάριστος
pleasant

τα ποτά, όλα τα ωραία της ζωής. Ο δρόμος μου έχει έρωτες και ύπνο όσο θέλεις. Ο δρόμος μου, Ηρακλή, δεν έχει κόπο. Δεν κουράζει. Ο δρόμος μου δεν έχει φόβο, έχει μόνον αγαθά. Ο δρόμος μου δεν έχει **οικονομία** και **δυσκολία**. Βλέπεις τι ωραίο **σώμα** έχω; Δεν πεινάω ποτέ! Τρώω ό,τι θέλω! Βλέπεις τι χαρά έχω; Έχω ό,τι θέλω! Οι άλλοι δουλεύουν και έχουν. Εσύ, Ηρακλή, στον δρόμο μου τα έχεις όλα και δεν δουλεύεις! Μόνον κερδίζεις, δεν χάνεις! Γιατί οι μαθητές μου μαθαίνουν και κερδίζουν από παντού!"
Εγώ τη ρώτησα "Πώς σε λένε, γυναίκα;"
Αυτή μου είπε "**Οι φίλοι** μου με λένε **Ευδαιμονία**, οι εχθροί μου όμως, με λένε Κακία"

Η Οικονομία
economy, thrift, careful spending

Δυσκολία
struggle

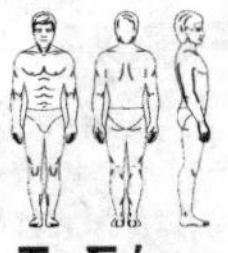

Το Σώμα

Οι φίλοι
the friends

Η ευδαιμονία
bliss

Τότε, σιγά σιγά, μου μίλησε η γυναίκα, η άλλη, η πρώτη, η αδύνατη: Μου είπε :

"Βλέπω Ηρακλή είσαι εσύ. Ξέρω τον πατέρα σου και την μητέρα σου. Ξέρω ότι έχεις **μυαλό**, και δεν ξέρεις ποιον δρόμο θέλεις! Λοιπόν, ελπίζω τον δικό μου δρόμο θα διαλέξεις. Γιατί έχεις μυαλό. Ο δικός μου δρόμος, βλέπεις; Πάει προς τα πάνω. Είναι **δύσκολος**, καμία φορά **δυσάρεστος**. Ο δρόμος μου έχει **δουλειά**, έχει **εργασία**. Θέλει καλά και πολλά και σεμνά έργα ο δρόμος μου. Λέω αλήθεια, οι θεοί δίνουν τα αγαθά μόνον με κόπο, όχι χωρίς κόπο. Έτσι και εσύ. Θα έχεις τα αγαθά που θα αποκτήσεις με κόπο. Στο δρόμο μου θα τιμάς τους

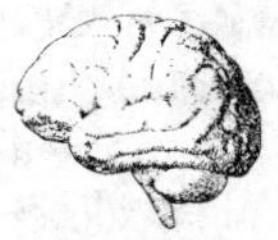

Το Μυαλό

Δύσκολος
difficult

Δυσάρεστος
unpleasant

Η Δουλειά
job, work

Η Εργασία
labor

θεούς, θα αγαπάς τους φίλους, θα κάνεις καλό στις πόλεις. Τότε θα σε βοηθούν οι θεοί, θα σε αγαπούν οι φίλοι, θα σε τιμούν οι πόλεις. Θέλεις τιμές σε όλη την Ελλάδα; Πρώτα, θα βοηθήσεις όλη την Ελλάδα. Στο δρόμο μου, θα **καλλιεργείς**, θα δουλεύεις τη γη, θα βοσκάς **τα πρόβατα**, θα πολεμάς πολέμους. Τότε θα έχεις καρπούς από τη γη, **γάλα** από **τα πρόβατα** και θα έχεις δύναμη καλή για τους φίλους και κακή για τους εχθρούς. Στο δρόμο μου, με άσκηση θα έχεις δύναμη. Το σώμα σου στον δρόμο μου θα είναι δυνατό, αλλά με άσκηση και υποταγή στον κόπο και την σκέψη."

Καλλιεργώ
to cultivate

Το πρόβατο

Το γάλα

Τότε μιλάει η άλλη, η Κακία και μου λέει "Δύσκολος δρόμος αυτός, Ηρακλή, εγώ ξέρω τον εύκολο!"
Τη ρωτώ "Προς τα πού είναι; Πού πάει ο δρόμος σου, Ευδαιμονία ή Κακία ή όπως σε λένε;"
"Ο δρόμος μου πάει **δεξιά**. Ο δρόμος μου πάει προς τα κάτω. Είναι **κατηφόρα**. Μία ευθεία είναι, όλο ίσα πηγαίνεις. Είναι εύκολος δρόμος, σου λέω, έλα!"

Δεξιά
right

Η Κατηφόρα
downhill slope (metaphorically fall, decline)

"Εσύ, Αρετή, ο δρόμος σου προς τα πού πάει;"

Λέει η Αρετή "Ο δρόμος μου πάει **αριστερά**. Ο δρόμος μου είναι προς τα πάνω. Είναι **ανηφόρα**. Ο δρόμος είναι όλο στροφές, καθόλου ευθεία. Είναι δύσκολος δρόμος. Αλλά εσύ διαλέγεις στο δίλημμα. Πάνω ή κάτω, **αριστερά** ή **δεξιά**, καλό ή κακό; Εσύ διαλέγεις, Ηρακλή. Τι θέλεις;"

Αριστερά
left

Η Ανηφόρα
uphill slope (metaphorically rising, climax)

"Εγώ, Αρετή, είμαι απλός άνθρωπος" της λέω. "Το καλό ξέρω, το καλό κάνω. Έρχομαι μαζί σου, πάμε αριστερά, πάμε στα δύσκολα, στην ανηφόρα"

ΑΛΕΞΑΝΔΡΟΣ :
Και μετά; Τι έκανες μετά;

ΗΡΑΚΛΗΣ :
Μετά περπάτησα, Αλέξανδρε, περπατάω τόσα χρόνια τώρα και νά είμαι τώρα εδώ, μιλάω με εσένα.

ΑΛΕΞΑΝΔΡΟΣ :
Δηλαδή; Εσύ είσαι εδώ από εκείνη την ανηφόρα;

ΗΡΑΚΛΗΣ :
Ναι, όλο ανηφόρα πάω. **Κούραση**, αλλά μου αρέσει.

Η Κούραση
weariness, fatigue

ΑΛΕΞΑΝΔΡΟΣ :
Χαρά στο **κουράγιο** σου, Ηρακλή!

Το Κουράγιο
Courage

ΑΣΚΗΣΕΙΣ ΚΑΤΑΝΟΗΣΗΣ ΔΙΑΛΟΓΟΥ

COMPREHENSION EXERCISES

1. Ο Ηρακλής στην αρχή του διαλόγου:

α) ξέρει με σιγουριά πού θέλει να πάει.

β) δεν ξέρει με σιγουριά πού θέλει να πάει, είναι σε δίλημμα.

γ) προχωράει αριστερά, τον δρόμο της Αρετής.

δ) προχωράει δεξιά, τον δρόμο της Κακίας προς το παλάτι του Ευρυσθέα.

2. Ο Αλέξανδρος και ο Ηρακλής πού βρίσκονται;

α) κοντά στο παλάτι των Μυκηνών.

β) μέσα το παλάτι, στην Ακρόπολη των Μυκηνών.

γ) σε ένα σταυροδρόμι, όπου δύο δρόμοι πάνε παράλληλα.

δ) σε ένα σταυροδρόμι, όπου δύο δρόμοι κάνουν σταυρό.

3. Η γυναίκα με το όνομα Αρετή:

α) είναι όμορφη, αλλά έχει κακό μακιγιάζ.

β) είναι όμορφη, αλλά το βλέμμα της είναι χαμηλό και είναι σώφρων.

γ) δεν είναι όμορφη, αλλά είναι καλή.

δ) δεν είναι καλή, αλλά είναι όμορφη.

4. Η γυναίκα με το όνομα Κακία:

α) μένει σε έναν δρόμο όλο δυσκολίες, οικονομία και κόπο.

β) μένει σε έναν δρόμο όλο δουλειά, άσκηση και κόπο.

γ) μένει σε έναν δρόμο όλο φαγητά, ποτά, έρωτες και ύπνο, χωρίς κόπο.

δ) μένει σε έναν δρόμο που πάει προς τα πάνω, όλο ανηφόρα.

5. **Ο Ηρακλής τι διαλέγει;**

   α) τον δύσκολο δρόμο, που πάει αριστερά και είναι όλο στροφές με ανηφόρα.

   β) τον εύκολο δρόμο που πηγαίνει όλο ίσα ευθεία, χωρίς καθόλου στροφές και είναι κατηφόρα.

   γ) τον δύσκολο δρόμο που πηγαίνει όλο ίσα ευθεία και είναι κατηφόρα.

   δ) τον εύκολο δρόμο που πάει αριστερά και είναι όλο στροφές με ανηφόρα.

ΑΣΚΗΣΕΙΣ ΓΙΑ ΚΟΥΒΕΝΤΑ ΔΙΑΛΟΓΟΥ

DISCUSSION EXERCISES

1. **Γιατί, κατά τη γνώμη σου, ο Ηρακλής δεν θεωρεί τη δεύτερη γυναίκα "σοβαρή"; Τι είναι σοβαρό; Τι δείχνει αυτή η περιγραφή της δεύτερης γυναίκας για τη θέση της γυναίκας στην κλασική ελληνική αρχαιότητα; Είναι δίκαιη με δεδομένη τη σημερινή πρόοδο;**

2. **Έχεις αντιμετωπίσει δίλημμα στη ζωή σου; Πώς το έλυσες; Τι διάλεξες;**

3. **Τι είναι κόπος και τι είναι ευκολία; Ποιος είναι ο δρόμος ο λιγότερο ταξιδεμένος;**

12
ΚΑΘΗΜΕΡΙΝΗ ΖΩΗ

Η ημέρα
the day

ΗΡΑΚΛΗΣ :
Ωραία **ημέρα** σήμερα, Αλέξανδρε!

κάθε μέρα
every day

ΑΛΕΞΑΝΔΡΟΣ :
Ναι, πολύ ωραία **ημέρα**. Τι κάνεις το **πρωί**, Ηρακλή; Εγώ **κάθε μέρα** πάω στο **σχολείο**, εκτός από **τα Σαββατοκύριακα**.

Το σχολείο

ΗΡΑΚΛΗΣ :
Τα Σαββατοκύριακα; Εγώ δεν ξέρω τι είναι **τα Σαββατοκύριακα**. Όταν ήμουν μικρός, ναι, τότε **κάθε μέρα** είχα μάθημα με τον παιδαγωγό. Αλλά τώρα δεν έχω. Τι είναι **Σαββατοκύριακο**, Αλέξανδρε;

Το Σαββατοκύριακο
Weekend

am

Το πρωί

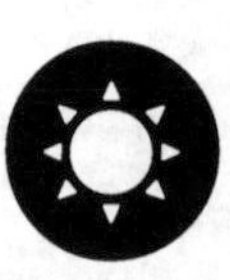

Το μεσημέρι

pm

το απόγευμα **το βράδυ**

Η νύχτα

ΑΛΕΞΑΝΔΡΟΣ :

Α! Το Σαββατοκύριακο είναι **το Σάββατο** και **η Κυριακή**, μαζί. Δεν έχουμε **σχολείο**. Δεν έχουμε **δουλειά**. Όλοι είναι στο σπίτι τους και κάθονται.

Το Σάββατο
Saturday

Η Κυριακή
Sunday

Η δουλειά
work, job

ΗΡΑΚΛΗΣ :

Κάθονται; Δηλαδή; Δεν δουλεύουν;

ΑΛΕΞΑΝΔΡΟΣ :

Όχι, δεν δουλεύουν. Πάντα τα Σαββατοκύριακα πηγαίνουμε ή στο **θέατρο** ή στον κινηματογράφο.

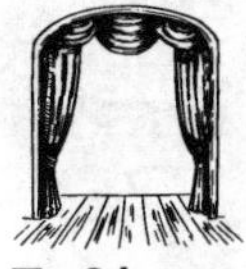

Το θέατρο

ΗΡΑΚΛΗΣ :

Στο **θέατρο**; Εμείς στο **θέατρο** πηγαίνουμε κάθε μέρα, αλλά όταν είναι **εορτή**. Όταν έχει τα Διονύσια, πηγαίνουμε στο **θέατρο πρωί πρωί**.

Η εορτή

Πρωί πρωί
early in the morning

Το βράδυ
evening

ΑΛΕΞΑΝΔΡΟΣ :

Πρωί πρωί; Εμείς πηγαίνουμε **το βράδυ**! Και στον κινηματογράφο, **το βράδυ** πηγαίνουμε.

ΗΡΑΚΛΗΣ :

Κινηματογράφεις; Τι γράφεις;

ΑΛΕΞΑΝΔΡΟΣ :

Δεν γράφω εγώ, κινηματογράφο, σου λέω! Πώς το λένε; Σινεμά!

ΗΡΑΚΛΗΣ :

Τι είναι αυτό;

οι ηθοποιοί
the actors

Το πανί

ΑΛΕΞΑΝΔΡΟΣ :

Αυτό… Αυτό είναι θέατρο, αλλά **οι ηθοποιοί** δεν είναι εκεί. Βλέπεις τα είδωλά τους σε ένα **πανί**.

ΗΡΑΚΛΗΣ :

Δεν καταλαβαίνω… Αφού δεν είναι εκεί, πώς τους βλέπεις; Τελοσπάντων. Και πηγαίνετε κάθε μέρα σε αυτόν τον κινηματογράφο;

Πηγαίνω
to go

Εντάξει
okay

Πλένω

καθαρίζομαι

Χτενίζω

ντύνομαι
to dress myself

Δύο φορές
twice

ΑΛΕΞΑΝΔΡΟΣ :

Όχι βέβαια! Κάθε μέρα **πηγαίνω** στο σχολείο, δεν έχω χρόνο για κινηματογράφο! Στον κινηματογράφο **πηγαίνω** όταν είναι Σάββατο ή Κυριακή.

ΗΡΑΚΛΗΣ :

Εντάξει. Εσύ ξέρεις. Εγώ δεν ξέρω από αυτά. Λοιπόν, το πρωί, τι κάνεις;

ΑΛΕΞΑΝΔΡΟΣ :

Ξυπνάω, **πλένω** τα δόντια μου και **καθαρίζομαι**. **Χτενίζω** τα μαλλιά μου, **ντύνομαι** και φεύγω για το σχολείο.

ΗΡΑΚΛΗΣ :

Και καλά, συγγνώμη, γυμναστική δεν έχει;

ΑΛΕΞΑΝΔΡΟΣ :

Έχει γυμναστική, στο σχολείο, **δύο φορές** την εβδομάδα.

ΗΡΑΚΛΗΣ :

Δύο φορές την εβδομάδα δεν είναι συχνά! Εγώ **γυμνάζομαι** κάθε μέρα! Ξυπνάω το πρωί, κάθε φορά ανάλογα με τον άθλο, **μία φορά** εδώ, **μία φορά** εκεί. Φοράω τη λεοντή μου και **γυμνάζομαι** δυνατά.

γυμνάζομαι

Μία φορά
once

ΑΛΕΞΑΝΔΡΟΣ :

Μπράβο, Ηρακλή. **Ζηλεύω**. Και μετά τι κάνεις;

Ζηλεύω
to be jealous

ΗΡΑΚΛΗΣ :

Μετά **τρώω**. Ελιές, δημητριακά και ξεκινάω για τον άθλο που έχω. **Περπατάω** πολύ.

Τρώω

Περπατάω
to walk

ΑΛΕΞΑΝΔΡΟΣ :

Με τα πόδια πηγαίνεις παντού;

τα **πόδια**

ΗΡΑΚΛΗΣ :

Ναι, με τα **πόδια**, γιατί; Εσύ πώς πηγαίνεις;

ΑΛΕΞΑΝΔΡΟΣ :

Συγγνώμη, **λεωφορείο** δεν έχετε;

Το λεωφορείο

ΗΡΑΚΛΗΣ :

Λεω… τι; Δεν καταλαβαίνω τι λες. Τι είναι **λεωφορείο**;

ΑΛΕΞΑΝΔΡΟΣ :

Ω, δύσκολα πράγματα! Θα σου εξηγήσω άλλη φορά. Άρα τώρα; Περπατάμε πάλι με τα **πόδια**; Και σήμερα;

ΗΡΑΚΛΗΣ :

Ε, ναι! Τι περιμένεις; Κανένα άρμα; Άρματα έχει στους Αγώνες, όχι κάθε μέρα.

ΑΛΕΞΑΝΔΡΟΣ :

Σωστά, τι λέω… Άντε, πάμε!

Το μεσημέρι
midday / noon

ΗΡΑΚΛΗΣ :

Το μεσημέρι έχουμε φαγητό και ξεκούραση.

Η σιέστα
midday nap

Το απόγευμα
afternoon

ΑΛΕΞΑΝΔΡΟΣ :

Σωστά, η καθιερωμένη **σιέστα**! Και μετά, **το απόγευμα**;

Εντάξει
okay

ΗΡΑΚΛΗΣ :

Το απόγευμα θα πέσει ο ήλιος και εμείς θα είμαστε στον ξάδερφό μου, τον Ευρυσθέα. Βλέπουμε τι άθλο θα έχω πάλι να κάνω! **Εντάξει**; Πάμε;

ΑΛΕΞΑΝΔΡΟΣ :

Ναι, πάμε…

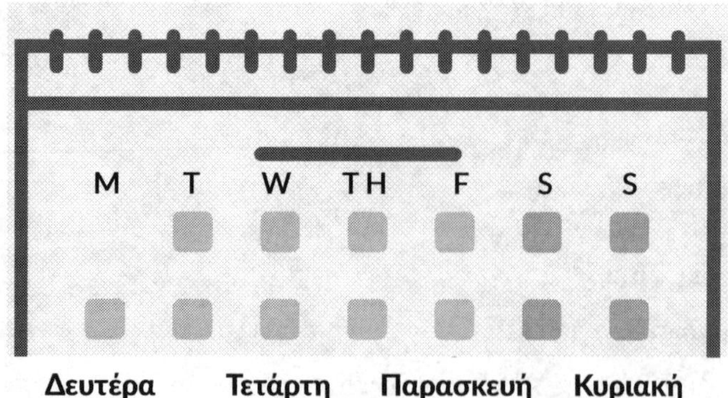

Το Σαββατοκύριακο
Weekend

Δευτέρα **Τρίτη** **Τετάρτη** **Πέμπτη** **Παρασκευή** **Σάββατο** **Κυριακή**

ΑΣΚΗΣΕΙΣ ΚΑΤΑΝΟΗΣΗΣ ΔΙΑΛΟΓΟΥ

COMPREHENSION EXERCISES

Άσκηση 1: True or False? / Σωστό ή Λάθος;

If there is a mistake in the sentence, write it correctly.

Σ Λ

1. **Ο Αλέξανδρος δεν πάει κάθε μέρα στο σχολείο, πάει μόνο τα Σαββατοκύριακα.** ________

Αν η πρόταση είναι λάθος, γράψε τη σωστά.

2. **Ο Ηρακλής πηγαίνει στο θέατρο κάθε Σαββατοκύριακο, το βράδυ, γιατί κάθε Σαββατοκύριακο είναι εορτή.** ________

Αν η πρόταση είναι λάθος, γράψε τη σωστά.

3. **Στο θέατρο βλέπεις τους ηθοποιούς και τα είδωλά τους σε ένα πανί.** ________

Αν η πρόταση είναι λάθος, γράψε τη σωστά.

4. **Ο Ηρακλής πλένει τα δόντια του, χτενίζει τα μαλλιά του, καθαρίζεται και πηγαίνει στο σχολείο κάθε μέρα. Έχει γυμναστική δύο φορές την εβδομάδα.** ________

Αν η πρόταση είναι λάθος, γράψε τη σωστά.

5. **Ο Αλέξανδρος περπατάει πολύ κάθε μέρα, πηγαίνει παντού με τα πόδια.** ________

Αν η πρόταση είναι λάθος, γράψε τη σωστά.

ΑΣΚΗΣΕΙΣ ΚΑΤΑΝΟΗΣΗΣ ΔΙΑΛΟΓΟΥ

COMPREHENSION EXERCISES

Άσκηση 2: Διάλεξε τη σωστή απάντηση: *(Pick the correct answer)*

1. **Κάθε Σαββατοκύριακο, η οικογένεια του Αλέξανδρου :**

   α) δουλεύει και δεν πάει πουθενά.

   β) δεν έχουν δουλειά και πάνε στο σχολείο.

   γ) δεν έχουν δουλειά και κάθονται στο θέατρο.

   δ) δεν έχουν δουλειά και κάθονται στο σπίτι, πηγαίνουν στο θέατρο ή κινηματογράφο.

2. **Ο Ηρακλής κάθε πότε κάνει γυμναστική;**

   α) κάθε Δευτέρα και Τρίτη, δύο φορές την εβδομάδα.

   β) κάθε Τετάρτη, Πέμπτη και Παρασκευή, τρεις φορές την εβδομάδα.

   γ) κάθε μέρα, περπατάει και πηγαίνει παντού με τα πόδια.

   δ) ποτέ, δεν έχει χρόνο.

3. **Ο Αλέξανδρος πώς πηγαίνει στο σχολείο;**

   α) μόνο με το λεωφορείο.

   β) μόνο με τα πόδια.

   γ) δεν πηγαίνει στο σχολείο, δεν έχει χρόνο.

   δ) και με το λεωφορείο και με τα πόδια.

4. **Ο Ηρακλής κάθε πρωί:**

   α) τρώει γάλα, τυρί και ντομάτες.

   β) τρώει ελιές και δημητριακά.

   γ) τρώει πρωινό με καφέ και μπισκότα.

   δ) τρώει λίγα φρούτα.

5. **Το μεσημέρι και ο Ηρακλής και ο Αλέξανδρος :**

   α) δουλεύουν με όλες τους τις δυνάμεις.

   β) δεν δουλεύουν, έχει φαγητό και ξεκούραση.

   γ) τον δύσκολο δρόμο που πηγαίνει όλο ίσα ευθεία και είναι κατηφόρα.

   δ) τον εύκολο δρόμο που πάει αριστερά και είναι όλο στροφές με ανηφόρα.

ΑΣΚΗΣΕΙΣ ΓΙΑ ΚΟΥΒΕΝΤΑ ΔΙΑΛΟΓΟΥ

DISCUSSION EXERCISES

1. **Πότε δεν δουλεύεις; Ο τρόπος ζωής σήμερα δίνει ελεύθερο χρόνο;**

2. **Τι γνώμη έχεις για την οκτάωρη εργασία; Δίνει καλύτερα αποτελέσματα στη δουλειά ή όχι;**

3. **Ανοιχτά καταστήματα τα σαββατοκύριακα: δίνει περισσότερα δικαιώματα στον καταναλωτή ή επιτρέπει μία αποδιοργανωμένη ζωή, αφού μπορεί να αγοράσει ο,τιδήποτε όποτε θέλει;**

13

ΠΩΣ ΠΑΜΕ; ΜΕΤΑΦΟΡΙΚΑ ΜΕΣΑ

Το άρμα

Το λεωφορείο

τα άλογα

Η θάλασσα

Το πλοίο

ΗΡΑΚΛΗΣ :

Πάμε λοιπόν; Έχουμε δρόμο ακόμα πολύ!

ΑΛΕΞΑΝΔΡΟΣ :

Ναι, πάμε. Αλλά πώς θα πάμε; Με τα πόδια;

ΗΡΑΚΛΗΣ :

Πώς θέλεις δηλαδή; Με **το άρμα** πάμε όταν έχει αγώνα, στους Ολυμπιακούς αγώνες!

ΑΛΕΞΑΝΔΡΟΣ :

Τι λες, Ηρακλή; Μόνον τότε; Δηλαδή, **λεωφορείο** δεν έχει;

ΗΡΑΚΛΗΣ :

Τι είναι **λεωφορείο**; Εμείς πάμε ή με τα πόδια ή με **το άρμα** και **τα άλογα**, όταν έχει αγώνα. Α, ναι, και όταν πάμε από τη **θάλασσα**, πάμε με την Τριήρη, με το μεγάλο **πλοίο**!

ΑΛΕΞΑΝΔΡΟΣ :

Εγώ πάω με **το πλοίο** μόνον όταν πάμε **διακοπές**.

Η διακοπή / οι διακοπές
break, interruption / (in plural:) vacations

ΗΡΑΚΛΗΣ :

Τι είναι **διακοπές**;

ΑΛΕΞΑΝΔΡΟΣ :

Διακοπές είναι όταν δεν έχει σχολείο. **Διακοπές** είναι όταν δεν δουλεύουμε. **Το καλοκαίρι**, δηλαδή από Ιούνιο μέχρι Αύγουστο. Μετά, το Σεπτέμβριο έχει πάλι σχολείο.

Το καλοκαίρι
Summer

ΗΡΑΚΛΗΣ :

Και πώς πηγαίνεις στο σχολείο; Δεν πηγαίνεις με τα πόδια;

ΑΛΕΞΑΝΔΡΟΣ :

Όχι βέβαια! Είναι **μακριά**! Δεν είναι **κοντά**! Όταν πηγαίνω στο σχολείο, παίρνω το λεωφορείο, ένα μεγάλο **αυτοκίνητο**. Όταν πηγαίνω στο κέντρο της Αθήνας, πάλι παίρνω το λεωφορείο.

Μακριά
far

Κοντά
near

Το αυτοκίνητο

ΗΡΑΚΛΗΣ :

Τρελό πράγμα αυτό το λεωφορείο.

ΑΛΕΞΑΝΔΡΟΣ :

Και πού να σου πω για **το μετρό**; Το ξέρεις **το μετρό**;

Το μετρό

ΗΡΑΚΛΗΣ :

Τι είναι **το μετρό**; Εννοείς αυτό που λένε στους Δελφούς Μέτρον Άριστον; Όλα δηλαδή με μέτρο, τίποτε σε υπερβολή;

γρήγορα
quickly

Το εισιτήριο

ΑΛΕΞΑΝΔΡΟΣ :

Χαχαχα! Όχι, δεν εννοώ αυτό! **Το μετρό** είναι ένα αυτοκίνητο μέσα στη γη! Πάει πάρα πολύ **γρήγορα**, πιο **γρήγορα** από το λεωφορείο. Δίνεις **το εισιτήριο**, μπαίνεις μέσα και πηγαίνεις από την μία άκρη της Αθήνας στην άλλη!

ΗΡΑΚΛΗΣ :

Δηλαδή πόσο **γρήγορα**;

Το αεροδρόμιο

ΑΛΕΞΑΝΔΡΟΣ :

Πάρα πολύ **γρήγορα**! Είσαι από την Ακρόπολη στο **Αεροδρόμιο** σε μία ώρα!

ΗΡΑΚΛΗΣ :

Τι να κάνεις στο **αεροδρόμιο**;

Φυσικά
Naturally, of course

ΑΛΕΞΑΝΔΡΟΣ :

Μα **φυσικά**, να πάρεις **το αεροπλάνο**! Δεν ξέρεις τι είναι **αεροπλάνο**;

Το αεροπλάνο

ΗΡΑΚΛΗΣ :

Όχι, τι είναι το αεροπλάνο; **Καταπίνει** αέρα;

Καταπίνω
to swallow

ΑΛΕΞΑΝΔΡΟΣ :

Όχι, δεν καταπίνει αέρα! Καταπίνει βενζίνη και πετάει στον αέρα σαν **πουλί**!

Το πουλί

ΗΡΑΚΛΗΣ :

Δηλαδή **σαν τον** Ίκαρο;

Σαν τον
like / similar to

ΑΛΕΞΑΝΔΡΟΣ :

Ναι, **σαν τον** Ίκαρο! Αλλά δύσκολα **πέφτει** το αεροπλάνο! Είναι δυνατό **πουλί**!

Πέφτω
to fall

ΗΡΑΚΛΗΣ :

Αλέξανδρε, νομίζω ότι μου λες ψέματα.

ΑΛΕΞΑΝΔΡΟΣ :

Όχι, δεν σου λέω ψέματα. Αλήθεια σου λέω! Γιατι δεν με **πιστεύεις**;

Πιστεύω
to believe

ΗΡΑΚΛΗΣ :

Γιατί όσα λες, είναι απίστευτα. Τελοσπάντων, τώρα δεν έχει ούτε μετρό, **ούτε** λεωφορείο, ούτε αεροπλάνο. Έχει μόνον τα πόδια μας. Πάμε;

ούτε..ούτε
neither...nor

ΑΛΕΞΑΝΔΡΟΣ :

Ναι, πάμε. Θα κουραστούμε γρήγορα, νομίζω. Αλλά τι να κάνουμε;

ΑΣΚΗΣΕΙΣ ΚΑΤΑΝΟΗΣΗΣ ΔΙΑΛΟΓΟΥ

COMPREHENSION EXERCISES

Άσκηση 1: True or False? / Σωστό ή Λάθος;
If there is a mistake in the sentence, write it correctly.

Σ Λ

1. **Ο Αλέξανδρος δεν πάει στο σχολείο όταν έχει διακοπές, δηλαδή κάθε Χριστούγεννα και Πάσχα.** ________

Αν η πρόταση είναι λάθος, γράψε τη σωστά.

2. **Το μετρό είναι ένα αυτοκίνητο πάνω στον αέρα και πετάει στο αεροδρόμιο από το κέντρο της Αθήνας σε δύο ώρες.** ________

Αν η πρόταση είναι λάθος, γράψε τη σωστά.

3. **Κάθε καλοκαίρι όλοι δουλεύουνε και ο Ηρακλής πάει στο σχολείο.** ________

Αν η πρόταση είναι λάθος, γράψε τη σωστά.

4. **Ο Ηρακλής πηγαίνει παντού με το λεωφορείο του, το οποίο είναι ένα άρμα με άλογα για αγώνες.** ________

Αν η πρόταση είναι λάθος, γράψε τη σωστά.

5. **Ο Αλέξανδρος πηγαίνει κάθε μέρα με το μεγάλο πλοίο, την Τριήρη, για μπάνιο στη θάλασσα.** ________

Αν η πρόταση είναι λάθος, γράψε τη σωστά.

ΑΣΚΗΣΕΙΣ ΓΙΑ ΚΟΥΒΕΝΤΑ ΔΙΑΛΟΓΟΥ

DISCUSSION EXERCISES

1. **Κατά τη γνώμη σου οι διακοπές βοηθάνε την παραγωγικότητα ή την μειώνουν;**

2. **Πώς πηγαίνεις στη δουλειά σου; Με μέσα μεταφοράς ή με το αυτοκίνητο; Τα μέσα μεταφοράς είναι δημόσιο αγαθό ή δικαίωμα όποιου μπορεί;**

3. **"Με το μετρό πηγαίνεις από το κέντρο της Αθήνας στο αεροδρόμιο σε μία ώρα". Τι είναι πιο σημαντικό για σένα; Η ταχύτητα ή η ασφάλεια;**

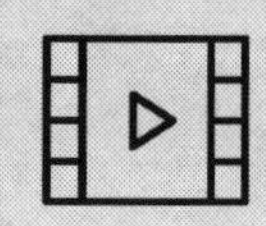

14

ΑΓΟΡΑΖΟΝΤΑΣ ΠΡΑΓΜΑΤΑΚΙΑ

Το λάθος
wrong, mistake

το πολύχρωμο
mutlicoloured

Το κτήριο

Θυμάμαι
to remember

εντυπωσιακή
impressive

όμορφο
beautiful

συζητώ
to discuss/chat

Αποφασίζω
to decide

τους νόμους
the laws

Ετοιμάζω
to prepare

ΑΛΕΞΑΝΔΡΟΣ :
Πού είμαστε, Ηρακλή;

ΗΡΑΚΛΗΣ :
Νομίζω ότι πήραμε **λάθος** δρόμο. Βλέπω την Ακρόπολη εκεί πάνω. Αλέκο, είμαστε στην Αθήνα.

ΑΛΕΞΑΝΔΡΟΣ :
Στην Αθήνα; Αυτό το **πολύχρωμο κτήριο** είναι η Ακρόπολη; Εγώ δεν την **θυμάμαι** έτσι. Α! Είναι **εντυπωσιακή**!

ΗΡΑΚΛΗΣ :
Ναι, είναι πολύ **όμορφο κτήριο**.

ΑΛΕΞΑΝΔΡΟΣ :
Και αυτό εδώ το **κτήριο** τι είναι;

ΗΡΑΚΛΗΣ :
Αυτό το κτήριο είναι το Βουλευτήριο. Μέσα **συζητάνε** και **αποφασίζουν** οι Βουλευτές της Αθήνας. **Ετοιμάζουν τους νόμους** και μετά η **Εκκλησία του Δήμου** τους **ψηφίζει**.

ΑΛΕΞΑΝΔΡΟΣ :

Ωραία πράγματα! Εμείς έχουμε τη **Βουλή** και εκεί **ετοιμάζουν τους νόμους** και **ψηφίζουν**. Δεν έχουμε **Εκκλησία του Δήμου** στην Αθήνα σήμερα.

ΗΡΑΚΛΗΣ :

Ναι, **αλλάζουν** τα πράγματα. Τα καταστήματα τα βλέπεις; Όλα τα **μαγαζιά** εκεί, **δίπλα** στη Στοά; Ο καθένας **πουλάει** την **πραμάτεια** του. Ο **αγγειοπλάστης** πουλάει αγγεία/ αμφορείς, ο **υποδηματοποιός** πουλάει **παπούτσια**, ο **χαλκουργός** πουλάει σκεύη και **ο γλύπτης** πουλάει γλυπτά. Εκεί, στα αριστερά είναι η Βιβλιοθήκη, με όλα τα βιβλία. Και όταν θέλεις **μουσική**, πηγαίνεις στο Ωδείο, μέσα στην Αγορά.

ΑΛΕΞΑΝΔΡΟΣ :

Όλα τόσο κοντά το ένα στο άλλο! Σαν mall είναι! Εμείς έχουμε **πολλά** καταστήματα στο Μοναστηράκι σήμερα, αλλά πάντα **κάνουμε παζάρι**!

ΗΡΑΚΛΗΣ :

Παζάρι; Δηλαδή;

Η Βουλή
Parliament

Ψηφίζω
to vote

Η Εκκλησία του Δήμου
Assembly of the City Of Athens

Αλλάζω
change

Δίπλα
next to

Πουλάω
to sell

Η πραμάτεια
merchandise

Ο χαλκουργός
coppersmith

Ο γλύπτης
sculptor

Η μουσική
music

Πολλά
a lot

Κάνω παζάρι
make a bargain

Το παζάρι
bazzaar, flea market

Το μαγαζί

Ο αγγειοπλάστης

Ο υποδηματοποιός

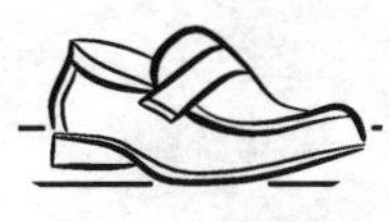

Το παπούτσι

καλύτερη
better

Η τιμή
price

Ρωτάω
to ask for

Για σένα
for you

Το ευρώ

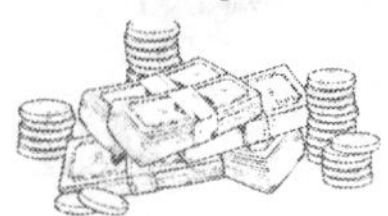

Τα λεφτά /
Τα χρήματα

Πληρώνω
to pay

Αγοράζω
to buy

Λίγα
a little

Καθόλου
none at all / any

Κάτι
something

ΑΛΕΞΑΝΔΡΟΣ :

Δηλαδή ζητάμε **καλύτερη τιμή**! **Ρωτάς** τον βιβλιοπώλη, για παράδειγμα :

-Πόσο κάνει αυτό το βιβλίο;
-Δέκα **ευρώ**, σου λέει ο βιβλιοπώλης.
-Θα μου κάνεις μια καλύτερη **τιμή**;
-Οχτώ **για σένα**, σου λέει ο βιβλιοπώλης. Αυτό, το λέμε **παζάρι**.

ΗΡΑΚΛΗΣ :

Τι είναι **ευρώ**;

ΑΛΕΞΑΝΔΡΟΣ :

Ευρώ είναι **λεφτά**! Είναι **χρήματα**! Με αυτά **πληρώνουμε**, όταν **αγοράζουμε** πράγματα. Ο θείος μου, στην Αμερική, **πληρώνει** με δολλάρια όταν **αγοράζει**. Στην Αμερική τα δολλάρια είναι πολλά, αλλά στην Ελλάδα τα ευρώ είναι **λίγα**.

ΗΡΑΚΛΗΣ :

Α, εντάξει. Κανένα πρόβλημα, μικρέ! Εδώ εμείς πληρώνουμε με δραχμές. Περίμενε ένα λεπτό. Να δω… Έχω **καθόλου** λεφτά στη λεοντή μου; Α! Ωραία! Έχω λεφτά! Λοιπόν, πάμε να αγοράσουμε **κάτι** από την Αγορά;

ΑΛΕΞΑΝΔΡΟΣ :

Ναι, πάμε.

(τρίτη φωνή, πωλητής)

ΠΩΛΗΤΗΣ :

Χαίρετε Αθηναίοι! Καλημέρα! Τι θέλετε;

ΗΡΑΚΛΗΣ :

Δεν είμαστε Αθηναίοι. Ναι, τι θέλουμε;

ΑΛΕΞΑΝΔΡΟΣ :

Εγώ δεν θέλω κάτι. Να σου πω, **πονάνε** λίγο τα πόδια μου. Μήπως **παπούτσια καινούρια**;

ΗΡΑΚΛΗΣ :

Παπούτσια; Για τα πόδια εσύ θέλεις **σανδάλια**, όχι **παπούτσια**! Λοιπόν, θα ήθελα ένα **ζευγάρι σανδάλια**, κύριε!

ΠΩΛΗΤΗΣ :

Σανδάλια! **Μάλιστα**! Λοιπόν!

ΑΛΕΞΑΝΔΡΟΣ :

Φοράω νούμερο σαράντα δύο!

ΠΩΛΗΤΗΣ :

Νούμερο; Τι είναι αυτό; Περίμενε, θα μετρήσω το πόδι σου!....

ΑΛΕΞΑΝΔΡΟΣ :

Εντάξει... **Ορίστε**, / Εδώ είναι το πόδι μου.

ΗΡΑΚΛΗΣ :

Και τι ρούχα είναι αυτά που φοράς;

Πονάω
to hurt

Το παπούτσι
a show

καινούρια
brand new

Το σανδάλι

Το ζευγάρι
a pair

Μάλιστα
Indeed

Φοράω
to wear

Νούμερο
size, number

Ορίστε
here you go

Τι σερτ
a t-shirt

Το παντελόνι

Το καπέλο

Τα γυαλιά

σωστή
right, correct

Ο χιτώνας

Σιγά σιγά
slowly

Πόσο κάνει / Πόσο κοστίζει
How much does it cost?

Κοστίζω
to cost

Τα ρέστα
the change

Περιμένω
to wait

Η δραχμή

ΑΛΕΞΑΝΔΡΟΣ :

Τι εννοείς; **Φοράω** ένα **τι-σερτ** και ένα τζην **παντελόνι**. Φοράω στο κεφάλι το **καπέλο** μου, και **τα γυαλιά** στα μάτια μου.

ΗΡΑΚΛΗΣ :

Τι **παντελόνι**; Τι τζην; Εσύ θέλεις **σωστή** ένδυση! Εσύ θέλεις **χιτώνα** κόκκινο, είσαι μικρό παιδί! Και θέλεις και ιμάτιον ή μανδύα, για όταν κάνει κρύο. Λοιπόν, τελειώνουμε εδώ με τα σανδάλια και πάμε για ρούχα.

ΑΛΕΞΑΝΔΡΟΣ :

Ηρακλή! **Σιγά σιγά**!

ΗΡΑΚΛΗΣ :

Τι σιγά σιγά; Λοιπόν, κύριε, έτοιμος ο μικρός; **Πόσο κάνει** το ζευγάρι τα σανδάλια; **Πόσο κοστίζουν** και τα δύο;

ΠΩΛΗΤΗΣ :

Τα σανδάλια **κοστίζουν** τρεις δραχμές.

ΗΡΑΚΛΗΣ :

Έχω ένα τετράδραχμο. Έχετε **ρέστα**;

ΠΩΛΗΤΗΣ :

Μάλιστα, κύριε. Ένα λεπτό, **περιμένετε**. Ορίστε. Εδώ είναι : μία **δραχμή ρέστα** και τα σανδάλια σας.

ΑΣΚΗΣΕΙΣ ΚΑΤΑΝΟΗΣΗΣ ΔΙΑΛΟΓΟΥ

COMPREHENSION EXERCISES

Άσκηση 1: True or False? / Σωστό ή Λάθος;
If there is a mistake in the sentence, write it correctly.

Σ Λ

1. **Σύμφωνα με τον διάλογο, στο Βουλευτήριο της Αρχαίας Αθήνας ψηφίζουν τους νόμους. Στην Πνύκα συζητάνε και αποφασίζει η Εκκλησία του Δήμου.** ________

   Αν η πρόταση είναι λάθος, γράψε τη σωστά.

2. **Η Ακρόπολη και ο Παρθενώνας στον διάλογο έχουν το λεγόμενο καθαρό, λευκό χρώμα.** ________

   Αν η πρόταση είναι λάθος, γράψε τη σωστά.

3. **Ο αγγειοπλάστης πουλάει σκεύη, ο υποδηματοποιός πουλάει αγγεία, ο χαλκουργός πουλάει παπούτσια και ο γλύπτης πουλάει γλυπτά.** ________

   Αν η πρόταση είναι λάθος, γράψε τη σωστά.

4. **Στην Αμερική τα ευρώ είναι πολλά, αλλά στην Ελλάδα τα δολλάρια είναι λίγα. Τα δολλάρια και τα ευρώ είναι λεφτά.** ________

   Αν η πρόταση είναι λάθος, γράψε τη σωστά.

5. **Ο Ηρακλής θέλει σωστή ένδυση για τον Αλέξανδρο, δηλαδή ένα τι-σερτ και ένα τζην παντελόνι, στο κεφάλι το καπέλο του, και τα γυαλιά στα μάτια του.** __________

Αν η πρόταση είναι λάθος, γράψε τη σωστά.

ΑΣΚΗΣΕΙΣ ΓΙΑ ΚΟΥΒΕΝΤΑ ΔΙΑΛΟΓΟΥ

DISCUSSION EXERCISES

1. **Ποιος αποφασίζει για τους νόμους στη χώρα σου; Εσύ γνωρίζεις για τους νόμους της χώρας σου όσα θέλεις;**

2. **Τι σου αρέσει καλύτερα; Μικρά καταστήματα για κάθε διαφορετικό προϊόν, δηλαδή ένα υποδηματοποιείο για παπούτσια, ένα κατάστημα ρούχων για ρούχα, ή ένα μεγάλο κατάστημα που έχει όλα τα προϊόντα μαζί, σε έναν χώρο; Γιατί σου αρέσει το ένα ή το άλλο, τα πολλά μικρά καταστήματα ή το μεγάλο μωλ;**

3. **Τα λεφτά φέρνουν την ευτυχία για σένα; Ή όχι; Γιατί;**

15
ΑΓΟΡΑΖΟΝΤΑΣ ΤΡΟΦΙΜΑ

ΑΛΕΞΑΝΔΡΟΣ :

Ηρακλή! **Πεινάω**!

ΗΡΑΚΛΗΣ :

Δηλαδή; Τι εννοείς πεινάς;

ΑΛΕΞΑΝΔΡΟΣ :

Δηλαδή **θέλω φαγητό**… Τώρα! **Υπάρχει κανένας** φούρνος εδώ **γύρω** στην Αγορά;

ΗΡΑΚΛΗΣ :

Τι τον θέλεις το φούρνο; Θα **ψήσεις** κρέας μήπως;

ΑΛΕΞΑΝΔΡΟΣ :

Όχι το **μηχάνημα**, εννοώ τον φούρνο που πουλάει ψωμί. **Θέλω** μία **τυρόπιτα**, μία **σπανακόπιτα**, δεν ξέρω. Κανένα **κουλούρι**, ίσως;

ΗΡΑΚΛΗΣ :

Τι είναι **όλα** αυτά;

Πεινάω
to be hungry

Θέλω
to want

Το φαγητό
food

Υπάρχω
to exist

Κανένας
nobody

Γύρω
around

Ψήνω

Το μηχάνημα
machine

Η τυρόπιτα
cheese pie

Η σπανακόπιτα
spinach pie

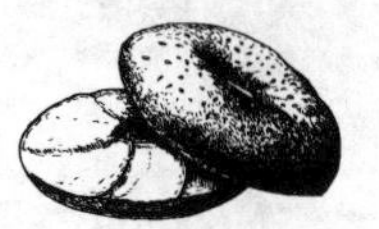

Το κουλούρι

όλα
all, everything

Η πίτα

Το τυρί

Το σπανάκι
spinach

Τα χόρτα
weed, greens

στρογγυλό
round, circular

Το σνακ
snack

Κάπου
some place

Τελοσπάντων
anyhow

Μήπως
What about...?

Η μπανάνα

θα βρω
I will find

Τίποτα
Nothing

ΑΛΕΞΑΝΔΡΟΣ :

Η τυρόπιτα είναι **πίτα** με **τυρί**. Η σπανακόπιτα είναι **πίτα** με **σπανάκι**, με **χόρτα**. Ε, και το κουλούρι είναι ένα **στρογγυλό σνακ** με σουσάμι. Έχει **κάπου** εδώ γύρω κανένα σνακ; Ή, **τελοσπάντων**, κανένα σάντουιτς;...

ΗΡΑΚΛΗΣ :

Αλέξανδρε, δεν ξέρω τι είναι σνακ και σάντουιτς. **Μήπως** θέλεις κανένα **φρούτο**;

ΑΛΕΞΑΝΔΡΟΣ :

Α, ναι! Γιατί όχι; **Μήπως** καμία **μπανάνα**; Πού **θα βρούμε** μπανάνες;

ΗΡΑΚΛΗΣ :

Δεν ξέρω τι μου λες μπανάνες και τέτοια! **Φρούτα** έχει στο **Οπωροπωλείο**. Πάμε εκεί;

ΑΛΕΞΑΝΔΡΟΣ :

Αχ, Ηρακλή! **Τίποτε** δεν ξέρεις.

Το φρούτο

Το οπωροπωλείο

ΗΡΑΚΛΗΣ :

Ναι. Εν οίδα ότι ουδέν οίδα. Ξέρω πολλά φρούτα, αλλά τις μπανάνες δεν τις ξέρω. Θέλεις **σύκα**; Έχει στην Αγορά. Θέλεις **λάχανα**; Έχει. Θέλεις **άρτο** με **μέλι**, που είναι **νόστιμο**; Έχει.

ΑΛΕΞΑΝΔΡΟΣ :

Α, μπράβο! **Άρτο**, δηλαδή **ψωμί**! Αυτό θέλω. Αλλά περίμενε…

ΗΡΑΚΛΗΣ :

Τι;

ΑΛΕΞΑΝΔΡΟΣ :

Είναι **μεσημέρι** πια. Μήπως κανένα **σουβλάκι**; Θέλω **κανονικό** φαγητό.

ΗΡΑΚΛΗΣ :

Ναι, **κανονικό** φαγητό! Μία πίτα με τυρί ή **μέλι**. Ή **πουρέ**! Ναι, **πουρέ**! Μμμμ, μου **άνοιξε** η **όρεξη**! Πάμε στο **Εστιατόριο**;

ΑΛΕΞΑΝΔΡΟΣ :

Όχι, δεν θέλω **ταβέρνες** και εστιατόρια. Θέλω φαγητό **στο χέρι**. Κάτι **γρήγορο**! Σουβλάκια πού έχει εδώ γύρω;

Το σύκο

Το εστιατόριο

Το λάχανο
cabbage

Ο άρτος / Το ψωμί

Το μέλι

νόστιμο
tasty

Το μεσημέρι
midday

Το σουβλάκι
souvlaki

κανονικό
regular, usual

Ο πουρές
purée

Ανοίγω / άνοιξα
to open / I opened

Η όρεξη
appetite

Η ταβέρνα
taverna

Στο χέρι
to go (literally : in the hand)

γρήγορο
quick

Ρε!
Hey! (a bit aggressive)

Τρελαίνω
to drive crazy

Το τζατζίκι
tzatziki

Το γιαούρτι
yogurt

Μαζί
together

τυλιγμένα
wrapped

Όταν
When

Πάντα
Always

Τρώω
to eat

Έχω δίκιο
To be right

Πώς;
How ?

ίδιο
The same

Για
for

ΗΡΑΚΛΗΣ :

Ρε Αλέξανδρε. Θα με **τρελάνεις**! Τι είναι το σουβλάκι;

ΑΛΕΞΑΝΔΡΟΣ :

Το σουβλάκι είναι **κρέας** με **πατάτες**, **ντομάτες**, **κρεμμύδι** και **τζατζίκι**. Το **τζατζίκι** είναι **γιαούρτι** με σκόρδο. Όλα αυτά **μαζί**, **τυλιγμένα** σε μία πίτα! Το πιο **γρήγορο** σνακ της Αθήνας! **Όταν** πάω στην αρχαία Αγορά, **πάντα τρώω** ένα σουβλάκι **στο χέρι**!

ΗΡΑΚΛΗΣ :

Ναι. **Κρέας** έχει, **κρεμμύδι** έχει και **γιαούρτι** έχει. Ντομάτες και **πατάτες** δεν ξέρω πάλι τι είναι!

ΑΛΕΞΑΝΔΡΟΣ :

Αχ, **έχεις δίκιο**. Η ντομάτα είναι φρούτο του νέου κόσμου! **Πώς** να το ξέρεις; Το **ίδιο** και η πατάτα! Δεν υπάρχει πατάτα στην αρχαία Αθήνα… Αλλά δεν υπάρχει και σουβλάκι. Τι άλλο υπάρχει **για** φαγητό;

Το κρέας

Η πατάτα

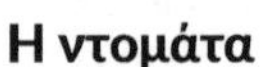

Η ντομάτα

Το κρεμμύδι

Το σκόρδο

ΗΡΑΚΛΗΣ :
Δεν ξέρω. Πάμε στο οπωροπωλείο;

Η λαϊκή αγορά

ΑΛΕΞΑΝΔΡΟΣ :
Λαϊκή αγορά δεν έχει εδώ;

ΗΡΑΚΛΗΣ :
Ε, ο λαός της Αθήνας αγοράζει στην Αγορά αυτή.
Αλλά δεν την λένε λαϊκή! Πάμε…

Το μήλο

ΤΡΙΤΗ ΦΩΝΗ - ΕΜΠΟΡΟΣ :
Πάρε πάρε, εδώ τα καλά **μήλα**! Εδώ τα καλά **μήλα**!

ΗΡΑΚΛΗΣ :
Βλέπεις; Έχει **μήλα**! Μήπως θέλεις **μήλα**;

ΑΛΕΞΑΝΔΡΟΣ :
Γιατί όχι; Ας πάρουμε μισό **κιλό**!
Μισό **κιλό** μήλα παρακαλώ!

Το κιλό
a kilo (weight quantity)

ΟΠΩΡΟΠΩΛΗΣ :
Τι είναι μισό **κιλό**; **Πόσα** μήλα θέλεις μικρέ;

Πόσα
How many?

ΑΛΕΞΑΝΔΡΟΣ :
Σωστά. Τα κιλά είναι **άγνωστα** ακόμα… Μου **βάζετε** πέντε μήλα, παρακαλώ;

Σωστά
Right! (adverb)

άγνωστα
unknown

Βάζω
to put

ΟΠΩΡΟΠΩΛΗΣ :
Αμέσως! Πέντε μήλα στον μικρό.

Αμέσως!
Immediately!

Η σαλάτα

ΑΛΕΞΑΝΔΡΟΣ :

Θέλω και λίγο **σαλάτα**! Τώρα ντομάτες δεν έχει… Τι **σαλάτα** θα φάμε;

Τα χόρτα
weed, greens

Το βλήτο
green amaranth (metaphorically: idiot)

ΟΠΩΡΟΠΩΛΗΣ :

Έχω καλά λάχανα, κρεμμύδια και πράσινα **βλήτα**! Νόστιμα **χόρτα**!

ΑΛΕΞΑΝΔΡΟΣ :

Δεν μου αρέσουν τα **χόρτα**… Αλλά τι να κάνουμε; Χόρτα έχει, χόρτα θα πάρουμε… Μου **βάζετε** μία **σακούλα** χόρτα, παρακαλώ;

Η σακούλα

ΟΠΩΡΟΠΩΛΗΣ :

Αμέσως! Μία **σακούλα χόρτα** στον μικρό. Μήλα των Εσπερίδων θέλεις;

ΗΡΑΚΛΗΣ :

Αμάν τα φοβάμαι αυτά τα μήλα!...

Το πορτοκάλι

ΑΛΕΞΑΝΔΡΟΣ :

Μήλα των Εσπερίδων! Από την Ισπανία, **πορτοκάλια** δηλαδή! Ωραία! Πέντε **πορτοκάλια** παρακαλώ!

ΟΠΩΡΟΠΩΛΗΣ :

Ορίστε. Εδώ. Θέλεις κάτι άλλο;

Είμαι εντάξει
I am ok /
I am fine

ΑΛΕΞΑΝΔΡΟΣ :

Εγώ **είμαι εντάξει**. Εσύ, Ηρακλή; Θέλεις κάτι άλλο;

ΗΡΑΚΛΗΣ :

Όχι. Καλά είμαι. **Μου αρέσουν** τα μήλα, αλλά **δεν μου αρέσουν** τα Μήλα των Εσπερίδων. Πόσο θέλεις για όλα κύριε Οπωροπώλη;

Μου αρέσει
I like

Δεν μου αρέσει
I do not like

ΟΠΩΡΟΠΩΛΗΣ :

Τρεις δραχμές τα μήλα, δύο δραχμές για τα χόρτα και πέντε δραχμές για τα Μήλα των Εσπερίδων.

ΗΡΑΚΛΗΣ :

Πέντε δραχμές για τα Μήλα των Εσπερίδων; Είναι **ακριβά**!! **Σίγουρα** τα θέλεις, Αλέξανδρε;

Ακριβά
Expensive

Σίγουρα
Sure! (adverb)

ΟΠΩΡΟΠΩΛΗΣ :

Κύριε, είναι μήλα **εισαγωγής**. Τα **φέρνουμε** από την Ισπανία!

Εισαγωγής
Imported

Φέρνω
to bring

ΗΡΑΚΛΗΣ :

Καλά, τι να κάνουμε; Εισαγωγής, εισαγωγής. Δηλαδή πόσο είναι όλα **μαζί**;

Μαζί
together

ΟΠΩΡΟΠΩΛΗΣ :

Όλα **μαζί** είναι δέκα δραχμές, παρακαλώ.

ΗΡΑΚΛΗΣ :

Ορίστε. Αχ, ρε Αλέξανδρε με τα ακριβά σου **γούστα**! Πάμε να βρούμε ένα δέντρο, να κάτσουμε, **καθίσουμε** να φάμε!

Το γούστο
taste

Κάθομαι - καθίζω
to sit

ΑΛΕΞΑΝΔΡΟΣ :

Πάμε! **Πεινάω σαν λύκος**!

Πεινάω σαν λύκος
to be hungry like the wolf

Ο λύκος

ΑΣΚΗΣΕΙΣ ΚΑΤΑΝΟΗΣΗΣ ΔΙΑΛΟΓΟΥ

COMPREHENSION EXERCISES

1. Ο "φούρνος" για τον Αλέξανδρο είναι :

α) μηχάνημα, συσκευή για να ψήνει κρέας.

β) κατάστημα που πουλάει ψωμί και τυρόπιτες.

γ) ένα πολύ ζεστό δωμάτιο.

δ) ένα πολύ ζεστό αυτοκίνητο.

2. Η σπανακόπιτα είναι

α) σνακ με σουσάμι.

β) σνακ με τυρί, πίτα με τυρί.

γ) σνακ με χόρτα, πίτα με σπανάκι.

δ) σνακ με λάχανα, κρεμμύδι και τζατζίκι.

3. Στην Αρχαία Αθήνα :

α) υπάρχουν ντομάτες και πατάτες και είναι πολύ νόστιμες.

β) δεν υπάρχουν ντομάτες και πατάτες γιατί κάνει κρύο.

γ) δεν υπάρχουν ντομάτες και πατάτες γιατί κάνει ζέστη.

δ) δεν υπάρχουν ντομάτες και πατάτες γιατί είναι φρούτα του νέου κόσμου.

4. Η λαϊκή αγορά είναι :

α) δίπλα στην Αγορά της Αρχαίας Αθήνας.

β) στη νέα Αθήνα και είναι αγορά με φρούτα και λαχανικά για το λαό.

γ) στην Αρχαία Αθήνα κάθε Κυριακή.

δ) στη νέα Αθήνα και είναι αγορά που ακούγεται λαϊκή μουσική.

5. **Τα πορτοκάλια :**

α) αρέσουν στον Ηρακλή.

β) δεν αρέσουν στον Ηρακλή ούτε στον Αλέξανδρο.

γ) αρέσουν στον Αλέξανδρο, αλλά δεν αρέσουν στον Ηρακλή.

δ) είναι τα μήλα των Εσπερίδων, αρέσουν στον Ηρακλή και στον Αλέξανδρο.

ΑΣΚΗΣΕΙΣ ΓΙΑ ΚΟΥΒΕΝΤΑ ΔΙΑΛΟΓΟΥ

DISCUSSION EXERCISES

1. **Τι φαγητό σου αρέσει; Προτιμάς τα σνακ ή κανονικά γεύματα που παίρνουν πολύ χρόνο; Γιατί;**

2. **Στην Ελλάδα λένε "Κάθε πράγμα στον καιρό του και τον Αύγουστο ο κολιός" δηλαδή κάθε εποχή έχει το φρούτο της ή το ψάρι της. Εσύ τι γνώμη έχεις; Θέλεις ντομάτες τον χειμώνα, σύκα την άνοιξη και πορτοκάλια το καλοκαίρι; Είναι κάθε εποχή για κάθε λαχανικό και φρούτο; Ή όχι;**

3. **Τι γνώμη έχεις για τα γενετικά τροποποιημένα τρόφιμα (genetically modified food) και λαχανικά; Είναι καλά για την υγεία του ανθρώπου;**

16

ΕΝ ΤΩ ΜΕΣΩ, IN MEDIAS RES

νόστιμα
tasty

Το πορτοκάλι

Φρεσκα
fresh

Μηλα των Εσπερίδων
apples of Hesperides

Σιγά
big deal

Μπορώ
I can

Καλύτερα
better

Θυμάμαι
remember

Βρέθηκα
I found myself

Διάβαζα

Κοιμήθηκα

Κάθονται κάτω από έναν πλάτανο.

ΑΛΕΞΑΝΔΡΟΣ :

Αχ, **νόστιμα ήταν** τα **πορτοκάλια**! **Φρέσκα** φρέσκα!

ΗΡΑΚΛΗΣ :

Τα **Μήλα των Εσπερίδων** λες; Μπα, καημένε! **Σιγά που** είναι νόστιμα!

ΑΛΕΞΑΝΔΡΟΣ :

Γιατί; Νόστιμα είναι! Και **τώρα που** έφαγα, **μπορώ** και σκέφτομαι **καλύτερα**….

ΗΡΑΚΛΗΣ :

Τι σκέφτεσαι, Αλέξανδρε;

ΑΛΕΞΑΝΔΡΟΣ :

Θυμάμαι πώς **βρέθηκα** εδώ! Καθώς **διάβαζα** ένα βιβλίο για μυθολογία, **κοιμήθηκα**!

ΗΡΑΚΛΗΣ :

Κοιμήθηκες; Μα τι είναι μυθολογία; Τι λες βρε Αλέξανδρε;

ΑΛΕΞΑΝΔΡΟΣ :

Μυθολογία είναι όλες αυτές οι **ιστορίες**, για τους **άθλους** σου, Ηρακλή! Είναι μυθολογία, δηλαδή δεν είναι **αλήθεια**, αλλά μύθοι.

ΗΡΑΚΛΗΣ :

Δεν είναι αλήθεια; Τι λες, βρε **άσχετε**; Είναι και παραείναι αλήθεια! Τα **πόδια** μου και η λεοντή μου το ξέρουν πόσο αλήθεια είναι! Α, τώρα έχω νεύρα με τα λόγια σου! **Ντροπή**!

ΑΛΕΞΑΝΔΡΟΣ :

Συγγνώμη, Ηρακλή. **Με συγχωρείς**! Έχεις δίκιο! Όλα αλήθεια είναι, απλώς στο **σπίτι μου** δεν με πιστεύουν!

ΗΡΑΚΛΗΣ :

Ωραία. Το δέχομαι. Διάβαζες λοιπόν και τι έγινε;

ΑΛΕΞΑΝΔΡΟΣ :

Ε, εκεί, την ώρα που διάβαζα, έπεσε στο κεφάλι μου ένα άλλο βιβλίο από την **βιβλιοθήκη**!

ΗΡΑΚΛΗΣ :

Όταν διάβαζες έπεσε **άλλο** βιβλίο στο **κεφάλι** σου; Και;

Ιστορίες
stories

Άθλους
achievements

Αληθεια
truth

Άσχετε
irrevelant/unrelated

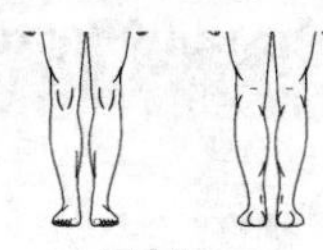

Πόδια

Ντροπή
shame

Συγγνώμη
forgiveness

Με συγχωρείς
I am sorry

Σπίτι μου

Ώρα
time

Βιβλιοθήκη

Κεφάλι

Άλλο
other, another

Μετά
after

Ξέρω
I know

Πάντως
at any rate

Έβλεπα
I was seeing

Αρχαία Αθήνα
ancient Athens

Τα αγάλματα
the statues

Χρώματα
colors

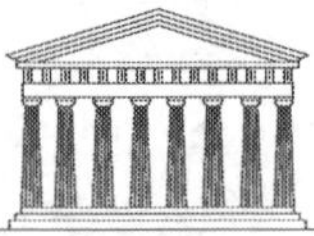

Οι ναοί

Άνθρωποι
people

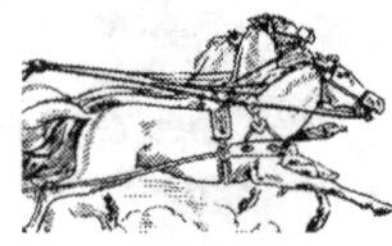

Άλογα

Άρματα
tanks

Παγκράτι
Pagkration, name of a neighborhood in Athens

ΑΛΕΞΑΝΔΡΟΣ :

Ναι, έπεσε ένα βιβλίο στο κεφάλι μου όταν διάβαζα, στο σπίτι μου, στο Παγκράτι. **Μετά**, δεν **ξέρω** τι έγινε. Κοιμήθηκα; **Πάντως**, όλα όσα **έβλεπα** ήταν **αρχαία**. Να, όπως τα βλέπω όλα τώρα : **Αρχαία** Αθήνα, και όλα τα **αγάλματα** έχουν **χρώματα**. Οι **ναοί** έχουν **χρώματα**. Οι **άνθρωποι** φοράνε **αρχαία** ρούχα και δεν υπάρχουν αυτοκίνητα, αλλά μόνον **άλογα** και κάρα / **άρματα**!

ΗΡΑΚΛΗΣ :

Τι είναι κάρα;

ΑΛΕΞΑΝΔΡΟΣ :

Κάρα είναι άρματα.

ΗΡΑΚΛΗΣ :

Μα, έτσι είναι όλες οι πόλεις στην Ελλάδα βρε Αλέξανδρε! Απλώς η Αθήνα είναι πιο μεγάλη, ας πούμε, από την Κόρινθο.

ΑΛΕΞΑΝΔΡΟΣ :

Ναι, η Αθήνα είναι μεγαλύτερη από την Κόρινθο. Το ξέρω καλά αυτό! Αλλά εγώ θα ήθελα να είμαι στο **Παγκράτι**! Πού είναι το Παγκράτι τώρα, στην αρχαία Αθήνα; Πού είναι η γειτονιά μου;

ΗΡΑΚΛΗΣ :

Το Παγκράτι δεν είναι τόπος, δεν είναι γειτονιά - Το Παγκράτι είναι **άθλημα**, **σπορ**, Αλέξανδρε. Είναι **πάλη**, **δύσκολη**! Τι εννοείς πού είναι τώρα; Στους **αγώνες** είναι, όταν έχει αγώνες!

ΑΛΕΞΑΝΔΡΟΣ :

Αχ, Ηρακλή! Έχεις δίκιο. Δεν **καταλαβαίνεις**. Το Παγκράτι δεν υπάρχει ακόμα! Συγγνώμη. Μάλλον **κοιμάμαι** ακόμα…

ΗΡΑΚΛΗΣ :

Τι κοιμάσαι βρε; **Μόλις** έφαγες! Άντε, έλα, **πάμε**; Έχω άθλους πολλούς να κάνω!!

ΑΛΕΞΑΝΔΡΟΣ :

Καλά, σίγουρα κοιμάμαι! **Πάμε**, **μέχρι** να ξυπνήσω.

ΗΡΑΚΛΗΣ :

Πάμε, αλλά **πρώτα** τα ρούχα που **πήραμε**! **Θα τα φορέσεις**;

ΑΛΕΞΑΝΔΡΟΣ :

Λοιπόν, **δεν μου αρέσουν** πολύ…

Άθλημα / Σπορ
sport

Πάλη

Δύσκολη
difficult

Αγώνες

Καταλαβαίνεις
you understand

Κοιμάμαι

Μόλις
just

Πάμε
let us go

Μέχρι
until

Πρώτα
first

Πήραμε
we bought

Θα τα φορέσεις
you will wear

Δεν μου αρέσουν
I don't like them

ΑΣΚΗΣΕΙΣ ΚΑΤΑΝΟΗΣΗΣ ΔΙΑΛΟΓΟΥ

COMPREHENSION EXERCISES

1. **Ο Ηρακλής και ο Αλέξανδρος τρώνε :**

   α) μήλα.

   β) μπανάνες.

   γ) μήλα των Εσπερίδων, δηλαδή πορτοκάλια.

   δ) φρούτα.

2. **Η ιστορία μας ξεκίνησε επειδή**

   α) ο Αλέξανδρος κοιμήθηκε επειδή ήταν κουρασμένος.

   β) ο Ηρακλής κοιμήθηκε επειδή ήταν κουρασμένος.

   γ) ο Ηρακλής κοιμήθηκε επειδή έπεσε ένα βιβλίο στο κεφάλι του.

   δ) ο Αλέξανδρος κοιμήθηκε επειδή έπεσε ένα βιβλίο στο κεφάλι του.

3. **Στην Αρχαία Αθήνα τα αγάλματα τι χρώμα έχουν;**

   α) λευκό του μαρμάρου.

   β) γκρι.

   γ) πολλά χρώματα.

   δ) μπλε του ουρανού.

4. **Για τον Ηρακλή το Παγκράτι είναι :**

   α) περιοχή, γειτονιά της Αθήνας.

   β) πάλη, άθλημα, σπορ.

   γ) πόλη στην Ελλάδα.

   δ) ρούχο.

ΑΣΚΗΣΕΙΣ ΓΙΑ ΚΟΥΒΕΝΤΑ ΔΙΑΛΟΓΟΥ

DISCUSSION EXERCISES

1. **Ο φυσικός Michael Faraday γράφει σε γράμμα του πως όταν εξέτασε τα Μάρμαρα του Παρθενώνα στο Βρετανικό Μουσείο, ένιωσε απελπισία γιατί η δυνατότητα να τα παρουσιάσει "στην αυθεντική τους λευκότητα και αγνότητα έμοιαζε απίθανη". Σήμερα ξέρουμε ότι τα αρχαία γλυπτά είχαν χρώματα και μόνο λευκά δεν ήταν. Τι πιστεύεις εσύ για τα χρώματα στην αρχαία ελληνική τέχνη; Σου αρέσουν;**

2. **Τα βιβλία βοηθάνε τη φαντασία ή την δαμάζουν κατά τη γνώμη σου; Γιατί;**

3. **Είναι πιο εύκολη η ζωή με αυτοκίνητα ή με άλογα και κάρα;**

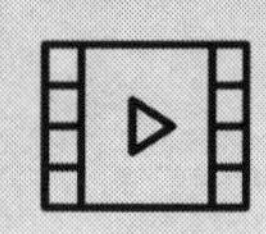

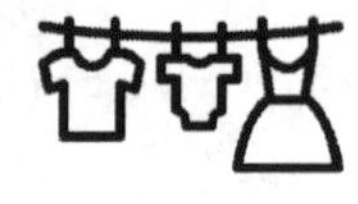

17
ΤΑ ΡΟΥΧΑ ΚΑΙ Ο ΦΙΛΟΣΟΦΟΣ

Κανονικά
normally
Φοράω
I wear

Τι-σερτ
Μπλούζα
blouse

Παπούτσια
Χιτώνα
caftan, tunic
Κόκκινο
red
Ιμάτιον
piece of cloth
Κρύο
cold

Σανδάλια
Ωραία
nice
Του γούστου μου
of my taste

ΑΛΕΞΑΝΔΡΟΣ :

Ηρακλή, εγώ **κανονικά φοράω** το **τι-σέρτ** μου, τη **μπλούζα** μου και ένα ζευγάρι **παπούτσια**. Τι είναι αυτά εδώ που αγοράσαμε;

ΗΡΑΚΛΗΣ :

Αγοράσαμε έναν **χιτώνα κόκκινο**, ένα **ιμάτιον** για το **κρύο** και **σανδάλια**.

ΑΛΕΞΑΝΔΡΟΣ :

Δεν μου αρέσουν αυτά τα ρούχα.

ΗΡΑΚΛΗΣ :

Τι εννοείς δεν σου αρέσουν;

ΑΛΕΞΑΝΔΡΟΣ :

Εννοώ ότι δεν είναι **ωραία**! Δεν είναι **του γούστου μου**, βρε Ηρακλή. Είναι πολύ λίγα! Εγώ θέλω πολλά ρούχα! Κρυώνω!

ΗΡΑΚΛΗΣ :

Μα, **τι καιρό κάνει σήμερα**; Δεν **κάνει κρύο σήμερα**! **Έχει ήλιο**. Έχει ζέστη.

ΑΛΕΞΑΝΔΡΟΣ :

Ζέστη το λες εσύ αυτό; Εγώ κρυώνω. Δεν μου αρέσουν αυτά τα ρούχα. Θέλω το μπλουζάκι μου, άντε, το πολύ κανένα **πουκάμισο**! Όχι χιτώνα και ιμάτιον!

ΗΡΑΚΛΗΣ :

Πρώτα **δοκίμασε**, και μετά **θα ρωτήσουμε** έναν **φιλόσοφο**, εδώ, στην **Αγορά**. Έχει πολλούς φιλοσόφους.

ΑΛΕΞΑΝΔΡΟΣ :

Καλά. Ας δοκιμάσω.

Φοράει τα **ρούχα** που αγόρασαν.

ΑΛΕΞΑΝΔΡΟΣ :

Επιμένω. Δεν μου αρέσουν καθόλου. Δεν είναι **το νούμερό μου** αυτά τα ρούχα!

ΗΡΑΚΛΗΣ :

Το νούμερό σου; Δηλαδή;

Τι καιρό κάνει
what is the weather

Σήμερα
today

Κάνει κρύο

Έχει ήλιο

Πουκάμισο
shirt

Δοκίμασε
try

Θα ρωτήσουμε
we shall ask

Φιλόσοφο
philosopher

Αγορά
flea market

Φοράει
he wears

Επιμένω
I insist

Το νούμερό μου
my size

Μεγάλα
big

Βλέπεις
you see

Χέρια

Ρωτήσουμε
ask

Κύριε
mister, sir

Αν λες
if you say

Σοφός
wise

Ερώτηση
question

Αγαπάει
he likes, he loves

Σοφία
wisdom

Φίλη
friend

Γνώση
knowledge

Πραγμάτων
of things

Άρα
therefore, so

Αγαπάτε
you like, you love

ΑΛΕΞΑΝΔΡΟΣ :

Δηλαδή είναι **μεγάλα**, αλλά εγώ είμαι μικρός! **Βλέπεις**; Τα **χέρια** μου είναι πιο μικρά από τα ρούχα!

ΗΡΑΚΛΗΣ :

Ας **ρωτήσουμε** έναν φιλόσοφο. Ε, **κύριε**, κύριε, είστε φιλόσοφος;

ΦΙΛΟΣΟΦΟΣ :

Αν λες ότι είμαι **σοφός**, είμαι και φιλόσοφος. Τι είναι φιλόσοφος;

ΗΡΑΚΛΗΣ :

Τι είναι φιλόσοφος; Χμμμ… Δύσκολη **ερώτηση**!

ΑΛΕΞΑΝΔΡΟΣ :

Φιλόσοφος είναι αυτός που **αγαπάει** τη σοφία. Όχι τη **Σοφία** τη **φίλη** μου, τη σοφία, τη **γνώση** των **πραγμάτων**, δηλαδή.

ΦΙΛΟΣΟΦΟΣ :

Εγώ δεν μου αρέσει όταν δεν ξέρω. Μου αρέσει όταν ξέρω πράγματα. **Άρα**;

ΑΛΕΞΑΝΔΡΟΣ :

Άρα **αγαπάτε** τη σοφία, κύριε.

ΦΙΛΟΣΟΦΟΣ :
Αυτός ο μικρός γιατί μιλάει σε **πολλούς**; **Ένας** είμαι!

Πολλούς
many

Ένας
one

ΑΛΕΞΑΝΔΡΟΣ :
Συγγνώμη, άρα αγαπάς τη σοφία, κύριε.

ΦΙΛΟΣΟΦΟΣ :
Άρα τι είμαι;

ΗΡΑΚΛΗΣ :
Μπίνγκο! Φιλόσοφος! Κύριε Φιλόσοφε, έχω μία ερώτηση! Αυτά τα ρούχα που φοράει ο μικρός Αλέξανδρος, είναι καλά; Σου αρέσουν; Ο **ίδιος** λέει ότι δεν του αρέσουν. Εγώ έχω ένα **μανδύα**, από τον **Κένταυρο Νέσσο**, δώρο. Αλλά δεν τον φοράω ποτέ, γιατί φοράω αυτή τη λεοντή. Αλλά ο μικρός δεν του αρέσουν τα ρούχα καθόλου!

Μπίνγκο
bingo

Ίδιος
the same, himself

Μανδύα

Κένταυρο Νέσσο
Centaur Nessos

ΦΙΛΟΣΟΦΟΣ :
Δεν του αρέσουν; Έχει δίκιο!

ΗΡΑΚΛΗΣ :
Γιατί έχει δίκιο;

ΦΙΛΟΣΟΦΟΣ :
Γιατί αυτά τα ρούχα είναι πολλά για μικρό παιδί! Πρέπει να φοράει λίγα. Να ζει **βίο λιτό**. Να **ζει** μία ζωή με λίγα πράγματα. **Όπως ζούνε** οι φιλόσοφοι.

ο Βίος / η Ζωή
life

Λιτός
simple, plain

Ζει
lives

Όπως
such as

Ζούνε
they live

ΑΛΕΞΑΝΔΡΟΣ :
Δηλαδή;

Λάθος
wrong, mistake

ΦΙΛΟΣΟΦΟΣ :
Δηλαδή αυτά τα ρούχα είναι **λάθος**. Το σωστό είναι ο μικρός, ο νέος, να φοράει λίγα ρούχα, όχι πολλά. Αυτά είναι πολλά!

Τίποτε
nothing
Γυμνός
bare

ΑΛΕΞΑΝΔΡΟΣ :
Δηλαδή να μη φοράω **τίποτε**; Να είμαι **γυμνός**;

Γυμνάσιο
gymnasium

ΦΙΛΟΣΟΦΟΣ :
Ναι, να είσαι γυμνός, μικρέ. Να είσαι στο **Γυμνάσιο** και να **γυμνάζεσαι** γυμνός. Αυτό είναι το **σωστό**.

Γυμνάζεσαι
Σωστό
correct, right
Κακό
bad
Τρελός
crazy

ΑΛΕΞΑΝΔΡΟΣ :
Αυτό είναι πιο **κακό** από το να φοράω αυτά που δεν μου αρέσουν. Εντάξει, το δέχομαι να τα φοράω αυτά. Ηρακλή, πάμε! Αυτός είναι **τρελός**, ο φιλόσοφος.

Λέει
he says
Μερικές
some, certain
Φορές
times
Ευχαριστούμε
we thank

ΗΡΑΚΛΗΣ :
Δεν είναι τρελός αυτός. Απλώς **λέει** την αλήθεια. Και **μερικές φορές** η αλήθεια είναι δύσκολη. **Ευχαριστούμε** κύριε Φιλόσοφε, φεύγουμε.

ΦΙΛΟΣΟΦΟΣ :

Εγώ ευχαριστώ. Είμαι **δάσκαλος**. Μήπως θέλετε κανένα **ιδιαίτερο** για τον μικρό; Ο πατέρας του είσαι;

ΗΡΑΚΛΗΣ :

Όχι, δεν είμαι ο πατέρας του. Είμαι φίλος του. **Νομίζω** ότι ο μικρός πηγαίνει στο **σχολείο**. Θέλεις μάθημα, Αλέξανδρε;

ΦΙΛΟΣΟΦΟΣ :

Ναι, θέλεις ιδιαίτερο μάθημα, Αλέξανδρε; Εγώ **διδάσκω**, εσύ **ακούς**. Θέλεις;

ΑΛΕΞΑΝΔΡΟΣ :

Θέλω ρούχα. Άρα δεν θέλω μάθημα σήμερα. Ευχαριστώ πολύ! Πάμε!

ΗΡΑΚΛΗΣ :

Ναι, κύριε Φιλόσοφε, **φεύγουμε**. Δεν έχουμε **χρόνο**! Έχω **άθλους** πολλούς **μπροστά μου**. **Αντίο**!

ΦΙΛΟΣΟΦΟΣ :

Αντίο! Κακό του **κάνεις**! Ο μικρός θέλει μάθημα! Και δεν θέλει αυτά τα ρούχα. Αντίο!

Δάσκαλος

Ιδιαίτερο
particular / private

Νομίζω
I think

Σχολείο

Διδάσκω
I teach

Ακούς

Φεύγουμε
we leave

Χρόνο

Άθλους
achievements

Μπροστά μου
in front of me

Αντίο
goodbye

Κάνεις
you make, you do

ΑΣΚΗΣΕΙΣ ΚΑΤΑΝΟΗΣΗΣ ΔΙΑΛΟΓΟΥ

COMPREHENSION EXERCISES

Άσκηση 1: True or False? / Σωστό ή Λάθος;

If there is a mistake in the sentence, write it correctly.

Σ Λ

1. **Ο χιτώνας, το ιμάτιον και τα σανδάλια είναι, σύμφωνα με τον Αλέξανδρο, πολλά ρούχα. Του αρέσουν ιδιαιτέρως και είναι του γούστου του.** ________

   Αν η πρόταση είναι λάθος, γράψε τη σωστά.

2. **Ο φιλόσοφος στον διάλογο είναι φίλος της σοφίας, αλλά του αρέσει και να μην ξέρει πράγματα. Πιστεύει ότι ο Αλέξανδρος είναι καλό να φοράει τζιν και τισέρτ.** ________

   Αν η πρόταση είναι λάθος, γράψε τη σωστά.

3. **Ο φιλόσοφος λέει την ετυμολογία της λέξης Γυμνάσιο. Δηλαδή ότι εκεί κάνουν γυμναστική αθλητές γυμνοί. Αυτή είναι η αλήθεια για τη νέα Αθήνα, αλλά όχι για την Αρχαία.** ________

   Αν η πρόταση είναι λάθος, γράψε τη σωστά.

4. **Ο Αλέξανδρος θέλει ιδιαίτερα μαθήματα από τον φιλόσοφο, γιατί είναι πολύ καλός δάσκαλος.** ________

Αν η πρόταση είναι λάθος, γράψε τη σωστά.

ΑΣΚΗΣΕΙΣ ΓΙΑ ΚΟΥΒΕΝΤΑ ΔΙΑΛΟΓΟΥ

DISCUSSION EXERCISES

1. **Ο Ηρακλής αισθάνεται ζέστη, ο Αλέξανδρος αισθάνεται κρύο και θέλει πιο πολλά ρούχα. Η αίσθηση του κλίματος είναι υποκειμενική; Τι γνώμη έχεις για την κλιματική αλλαγή;**

2. **Πιστεύεις ότι η σοφία και η μανία είναι κοντά η μία στην άλλη; Ο φιλόσοφος στον διάλογο είναι σοφός ή τρελός ή και τα δύο;**

3. **Η ετυμολογία της λέξης "Γυμνάσιο" είναι από τους γυμνούς αγώνες, την γυμναστική που γινόταν κατά την εκπαίδευση των μαθητών στην αρχαία Ελλάδα. Είναι σημαντική η γυμναστική και η άθληση σήμερα στην εκπαίδευση; Πώς συνδυάζεται τεχνολογία, γυμναστική και εκπαίδευση;**

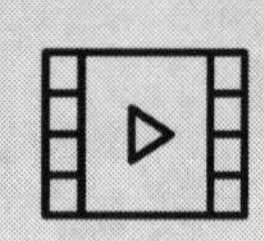

18

Ο ΘΗΣΕΑΣ ΚΑΙ Ο ΗΡΑΚΛΗΣ

ΗΡΑΚΛΗΣ :

Ε, κύριε, ποιος είσαι; Αλέξανδρε, ποιος είναι αυτός;

ΑΛΕΞΑΝΔΡΟΣ :

Δεν ξέρω. Ποιος είναι; Κάπου τον ξέρω αυτόν! **Γνωστό πρόσωπο**.

ΘΗΣΕΑΣ :

Εγώ είμαι ο **Θησέας**, ο μεγάλος **ήρωας** της Αττικής! Πατέρας μου είναι ο **Αιγέας** και μητέρα μου η **Αίθρα**! **Σκότωσα** τον **Πιτυοκάμπτη** και τον **γέρο ληστή Σκίρωνα**. Τον **έριξα** στην **θάλασσα** και τον έφαγε η **χελώνα**. Δεν φοβάμαι κανέναν εγώ. Ούτε εσένα φοβάμαι! Σκότωσα τον φοβερό **Προκρούστη** με το ίδιο του το **θανάσιμο κρεβάτι**. Άρα **φόβος** για μένα δεν **υπάρχει**. Ποιος είσαι εσύ;

Γνωστό
familiar

Πρόσωπο
person, face

Θησέας
Theseus

Αιγέας
Aigaias

Αίθρα
aethra

Σκότωσα
killed

Πιτυοκάμπτη
Pityokamptis

Γέρο

Ληστή
robber, thief

Σκίρωνα
Skyron

Προκρούστη
prokroustis

Θανάσιμο
deadly

Φόβος
fear

Υπάρχει
exists

Χελώνα

Κρεβάτι

Θάλασσα

ΗΡΑΚΛΗΣ :

Εγώ είμαι ο Ηρακλής. Ο μεγάλος ήρωας της **Πελοποννήσου**! Πατέρας μου είναι ο **Δίας** και μητέρα μου η **Αλκμήνη**! Σκότωσα το **Λιοντάρι** της Νεμέας και ούτε εγώ φοβάμαι εσένα! Τι θέλεις εδώ στην Αθήνα, Θησέα;

ΘΗΣΕΑΣ :

Βλέπω ότι αυτή η περιοχή, η Αττική, είναι σκέτο χάος! **Σπίτια** εδώ, οίκοι εκεί, όλα **μπερδεμένα**, ένα χάος! Ο ένας οίκος είναι κοντά στον άλλο, κολλητά τα σπίτια και δίπλα - δίπλα. Μετά πάλι **κενός** χώρος και **μακριά** από τα μαζεμένα σπίτια, άλλοι οικίσκοι **χωριστοί**. Γιατί είναι έτσι;

ΗΡΑΚΛΗΣ :

Δεν ξέρω, Αλέξανδρε, γιατί είναι έτσι;

ΑΛΕΞΑΝΔΡΟΣ :

Γιατί το ένα σπίτι είναι μακριά από το άλλο; Γιατί οι Αθηναίοι θέλουν **αυτονομία**. Μένουν σε **μονοκατοικίες**, όχι σε **πολυκατοικίες** ακόμα.

Πελοποννήσου
Peloponnese

Δίας

Αλκμήνη
Alcmene

Λιοντάρι

Σπίτια / Οίκοι

Μπερδεμένα
mixed together

κενός
empty

μακριά
far away

χωριστοί
apart

Αυτονομία
autonomy

Μονοκατοικίες
single houses

Πολυκατοικίες

Οικογένειες

Διαμέρισμα
apartment

Όροφο
floor

Πατώματα
floors

Μοντέρνα
modern

Σαλόνι / λίβινγκ ρουμ

τραπεζαρία

τηλεόραση

κουζίνα

μαγειρεύουμε
we cook

κάνουμε την ανάγκη μας
do our need, use the toilet

ΗΡΑΚΛΗΣ :

Τι είναι πολυκατοικίες;

ΑΛΕΞΑΝΔΡΟΣ :

Οι πολυκατοικίες είναι μεγάλα σπίτια, όπου μένουν πολλές **οικογένειες**. Μία οικογένεια σε κάθε **διαμέρισμα**. Δύο ή τρία διαμερίσματα σε κάθε **όροφο**. Και πολλοί όροφοι, πολλά **πατώματα**. Η **μοντέρνα** Αθήνα είναι όλη με πολυκατοικίες.

ΗΡΑΚΛΗΣ :

Και πώς είναι μέσα το σπίτι στην μοντέρνα Αθήνα;

ΑΛΕΞΑΝΔΡΟΣ :

Έχει ένα **σαλόνι** στο κέντρο, το **λίβινγκ ρουμ**. Αυτό το δωμάτιο είναι συνήθως και **τραπεζαρία**. Στην τραπεζαρία τρώμε το φαγητό και βλέπουμε **τηλεόραση**. Δίπλα στο σαλόνι είναι η **κουζίνα**. Στην κουζίνα **μαγειρεύουμε** το φαγητό. Στην άλλη πλευρά υπάρχει το **μπάνιο**, ή η **τουαλέτα**. Εκεί, στο μπάνιο, **κάνουμε την ανάγκη μας** και πλενόμαστε. Από την άλλη πλευρά υπάρχουν τα **υπνοδωμάτια**. Στα υπνοδωμάτια έχουμε τα **κρεβάτια** και κοιμόμαστε τη **νύχτα**.

μπάνιο / τουαλέτα

υπνοδωμάτια

Κρεβάτι

νύχτα

ΘΗΣΕΑΣ :

Μεγάλος είναι ο μοντέρνος οίκος της Αθήνας, ω μικρέ Αλέξανδρε. Αυτοί εδώ οι οίκοι που βλέπω είναι σπίτια μικρά. Και πολύ μπερδεμένα, άλλα εδώ, άλλα εκεί. Θέλει **τάξη** αυτό το χάος!

τάξη order

ΑΛΕΞΑΝΔΡΟΣ :

Και τι σκέφτεσαι να κάνεις, ω μεγάλε Θησέα;

ΘΗΣΕΑΣ :

Σκέφτομαι να μαζέψω αυτούς τους άτακτους οίκους. Σκέφτομαι να βάλω τάξη. Μετά θα είναι όλα εντάξει. Σκέφτομαι να κάνω **συνοικισμό**.

συνοικισμό neighborhood

ΗΡΑΚΛΗΣ :

Συνοικισμό; Τι είναι συνοικισμός;

ΘΗΣΕΑΣ :

Συνοικισμός είναι **ένωση**. Θα ενώσω όλα αυτά τα μικρά **χωριά**, όλα αυτά τα μικρά σπίτια και θα κάνω μία, **ενωμένη** πόλη. Όλη η Αττική θα **υπακούει** στην Αθήνα. Θα είναι οίκοι και πάλι, αλλά θα είναι μαζί, ενωμένοι. Συν-οικισμός, δηλαδή!

ένωση unite

χωριά

ενωμένη united

υπακούει obey

ΗΡΑΚΛΗΣ :

Και εσύ πού θα **μείνεις**;

μείνεις stay, live

ΘΗΣΕΑΣ :

Εγώ πού θα μείνω; Εκεί **ψηλά**, ποιος μένει;

ψηλά high

Θεία
aunt

Βλέπω
I see

Βασιλιάς

Χρησμός
oracle

Μαντείο
oracle of Delphi

Χαλαρώσεις
loosen up

Ασκό
windbag

Φτάσεις
you arrive

Αλλιώς
otherwise

Θλίψη
sadness

Αίθρα
Aíthra, daughter of Pittheus

Ακριβώς
exactly

ΗΡΑΚΛΗΣ :

Πού; Εκεί; Στην Ακρόπολη; Εκεί μένει η **θεία** μου, η θεά Αθηνά!

ΘΗΣΕΑΣ :

Ε, εκεί θα μείνω και εγώ! Ψηλά στην Ακρόπολη, να **βλέπω** όλους τους Αθηναίους. Θα είμαι ο **βασιλιάς** τους! Το είπε και ο **χρησμός** αυτό!

ΗΡΑΚΛΗΣ :

Ποιος χρησμός;

ΑΛΕΞΑΝΔΡΟΣ :

Ηρακλή, ο χρησμός που έδωσε το **Μαντείο** των Δελφών στον Αιγέα : "Να μην **χαλαρώσεις** τον **ασκό** του κρασιού, μέχρι να **φτάσεις** στην Αθήνα, **αλλιώς** θα **πεθάνεις** από **θλίψη**" Και ο Αιγέας έτσι έκανε, και **παντρεύτηκε** την **Αίθρα**, αφού **μέθυσε**.

ΘΗΣΕΑΣ :

Έτσι **ακριβώς** είναι. Αλλά κάπου το ξέρω αυτό το λιοντάρι, Ηρακλή.

Πεθάνεις

Παντρεύτηκε

Μέθυσε

ΗΡΑΚΛΗΣ :

Και εγώ, κάπου σε ξέρω εσένα, μικρέ Θησέα. **Μήπως** ήσουν στην **Τροιζήνα**, στο **παλάτι** του **Πιτθέα**;

ΘΗΣΕΑΣ :

Ναι, ήμουν, γιατί;

ΗΡΑΚΛΗΣ :

Γιατί **θυμάμαι** ένα **μωρό**. Όταν έφτασα και φορούσα αυτή τη λεοντή, ένα παιδί νόμισε ότι είναι λιοντάρι αληθινό και ζωντανό. Το παιδί αυτό σου έμοιαζε τώρα που σε βλέπω. Το παιδί άρπαξε ένα **τσεκούρι** για να σκοτώσει το νεκρό λιοντάρι. Εσύ ήσουν, Θησέα;

ΘΗΣΕΑΣ :

Ναι, εγώ ήμουν. Σε θυμάμαι καλά, ω μεγάλε Ηρακλή! **Χαίρομαι** που σε βλέπω πάλι, μετά από τόσα χρόνια!

ΗΡΑΚΛΗΣ :

Και εγώ χαίρομαι που σε βλέπω Θησέα! Πάντα **δυνατός** να είσαι και **ευλογημένος** από τον Δία!

ΑΛΕΞΑΝΔΡΟΣ :

Ωραία, τώρα που **γνωριστήκατε**, μήπως να μας πει ο Θησέας πού θα μείνει;

Μήπως
perhaps

Τροιζήνα
Troizina, village of the northeast Pelloponnese

Παλάτι

Πιτθέα
Pittheus, king of Troizina

Θυμάμαι
I recall

Μωρό

Τσεκούρι

Χαίρομαι
I am glad

Δυνατός

Ευλογημένος
blessed

Γνωριστήκατε
you got acquainted

Ανάκτορα

Άναξ

Μπράβο
bravo

Να μου ζήσεις
may you live many years

Ωραία
fine

Οργανώσω
organize

Λέγεται
called, named

ΘΗΣΕΑΣ :

Θα μείνω πάνω στην Ακρόπολη! Εγώ είμαι βασιλιάς, όχι απλός Αθηναίος. Ο Βασιλιάς θέλει παλάτι, **ανάκτορα**! Εκεί θα κάνω τα ανάκτορά μου και θα είμαι **Άναξ** των Αθηναίων όλων!

ΑΛΕΞΑΝΔΡΟΣ :

Μπράβο Θησέα

ΗΡΑΚΛΗΣ :

Μπράβο Θησέα! **Να μου ζήσεις** με τις ωραίες ιδέες σου!

ΘΗΣΕΑΣ :

Ωραία! Φεύγω τώρα, δυνατοί άνδρες, πάω να **οργανώσω** το χάος που **λέγεται** Αθήνα!

ΑΣΚΗΣΕΙΣ ΚΑΤΑΝΟΗΣΗΣ ΔΙΑΛΟΓΟΥ

COMPREHENSION EXERCISES

Άσκηση 1: True or False? / Σωστό ή Λάθος;
If there is a mistake in the sentence, write it correctly.

Σ Λ

1. **Ο Θησέας έριξε τον πατέρα του τον Αιγέα στη θάλασσα και τον έφαγε η χελώνα. Δεν έχει κανένα φόβο γιατί σκότωσε τον Πιτυοκάμπτη με το ίδιο του το θανάσιμο κρεβάτι, και τον γέρο ληστή Σκίρωνα. Μητέρα του είναι η Αίθρα.**

Αν η πρόταση είναι λάθος, γράψε τη σωστά.

2. **Η Αττική τον καιρό του Θησέα δεν είναι καθόλου χάος. Τα σπίτια είναι σε σειρά, τακτοποιημένα και όλα δίπλα - δίπλα, το ένα κοντά στο άλλο.**

Αν η πρόταση είναι λάθος, γράψε τη σωστά.

3. **Η θεά Αθηνά μένει μαζί με τον Θησέα, στο ίδιο σπίτι, στα ανάκτορα, ψηλά στον Λυκαβηττό.**

Αν η πρόταση είναι λάθος, γράψε τη σωστά.

Σ Λ

4. **Ο Θησέας είναι από την Τροιζήνα και όταν ήταν μικρός φορούσε μία λεοντή. Ο Ηρακλής είδε την λεοντή και πάλεψε με τον Θησέα, για να σκοτώσει το νεκρό λιοντάρι.**

Αν η πρόταση είναι λάθος, γράψε τη σωστά.

ΑΣΚΗΣΕΙΣ ΓΙΑ ΚΟΥΒΕΝΤΑ ΔΙΑΛΟΓΟΥ

DISCUSSION EXERCISES

1. **Πώς σου φαίνεται η αρχιτεκτονική των πόλεων σήμερα στην Αμερική; Είναι χάος; Ή είναι όμορφες; Στην Ευρώπη; Ποιες οι διαφορές;**

2. **Ο Θησέας ενώνει τα μικρά σπίτια της Αττικής σε συνοικισμό. Μία συνοικία, μία γειτονιά τι διαφορές έχει από μία πολυκατοικία;**

3. **Ο Θησέας δεν πίνει κρασί μέχρι να είναι στην Αθήνα. Μερικοί λένε in vino veritas. Υπάρχει όριο στην κατανάλωση του κρασιού; Πρέπει να υπάρχει νόμος για αυτό;**

19
Ο ΗΡΑΚΛΗΣ ΕΧΕΙ ΝΕΥΡΑ

ΗΡΑΚΛΗΣ :

Αλέξανδρε! Τι κάνουμε **εδώ πέρα**; Δεν **προχωράμε** και **έχω τα νεύρα μου**!

ΑΛΕΞΑΝΔΡΟΣ :

Ηρακλή, τι εννοείς "δεν προχωράμε"; Γιατί έχεις τα νεύρα σου; Γιατί **είσαι τσαντισμένος**;

ΗΡΑΚΛΗΣ :

Έχω τα νεύρα μου γιατί τόσες ημέρες δεν κάνουμε ούτε έναν **νέο** άθλο! Τι κάναμε από την ώρα που σε είδα μέχρι τώρα;

ΑΛΕΞΑΝΔΡΟΣ :

Τι κάναμε;

ΗΡΑΚΛΗΣ :

Θα σου πω εγώ τι κάναμε! Πρώτα εγώ **σου είπα** για την **οικογένειά** μου!

Εδώ πέρα
right here

Προσωράμε
go ahead

Έχω τα Νεύρα μου
I am angry,
I have a temper

είσαι Τσαντισμένος
to be upset,
to be angry

νέο
new

σου είπα
told you

οικογένεια

γεννήθηκες
you were born

Θήβα
Thebes

Ημίθεος
half god

Ευρυσθέα
Eurystheus, king of Tiryns of Mycenae

Ξάδερφος
cousin

Φυσικά
naturally

Τίποτα
nothing

Όνειρο
dream

Θυμάσαι
you remember

Άδη

Κάτω Κόσμο
underworld

Κυνήγησες
you chased

Κέρβερο

ΑΛΕΞΑΝΔΡΟΣ :

Ναι, ακριβώς. Εσύ μου είπες ότι ο πατέρας σου είναι ο Δίας, μητριά σου η Ήρα και μητέρα σου η Αλκμήνη. Είπες ότι **γεννήθηκες** στην **Θήβα**, αλλά είσαι μισός θεός, δηλαδή **ημίθεος**.

ΗΡΑΚΛΗΣ :

Ναι, αυτά σου είπα. Επίσης, σου είπα για τον **Ευρυσθέα**, ότι είναι **ξάδερφός** μου και βασιλιάς των Μυκηνών. Ο Ευρυσθέας, ο οποίος θέλει όλους αυτούς τους άθλους. Το κατάλαβες;

ΑΛΕΞΑΝΔΡΟΣ :

Εγώ; **Φυσικά** και το κατάλαβα! Λοιπόν, και γιατί έχεις νεύρα;

ΗΡΑΚΛΗΣ :

Γιατί έχω νεύρα; Γιατί κατάλαβες, αλλά μετά δεν κάναμε **τίποτα**! Μετά εγώ είδα ένα **όνειρο**! Το **θυμάσαι**;

ΑΛΕΞΑΝΔΡΟΣ :

Ναι, το θυμάμαι! Εσύ είδες ότι ήσουν στον **Άδη**, στον **Κάτω Κόσμο**. Είδες ότι **κυνήγησες** το τρομερό σκυλί, τον **Κέρβερο**. Είδες ότι πάλεψες με τα τρία κεφάλια του σκυλιού, στον ποταμό Αχέροντα, στις Πύλες του Άδη.

ΗΡΑΚΛΗΣ :

Ναι, πάλεψα με το τρομερό σκυλί, τον Κέρβερο, αλλά δεν τον σκότωσα. **Έδεσα** τα κεφάλια του με τα χέρια μου, **δυνατά**. Μετά είδα τον **Μελέαγρο** και αυτός μου είπε ότι η γυναίκα μου είναι η **Διηάνειρα**. Και μετά **ξύπνησα**. Και σου είπα "Πάμε στις Μυκήνες". Και εσύ, Αλέξανδρε, είπες "Πάμε!"

ΑΛΕΞΑΝΔΡΟΣ :

Ναι, εγώ έτσι ακριβώς είπα. Αλλά μετά πήγαμε στον Ευρυσθέα και αυτός δεν ήταν εκεί.

ΗΡΑΚΛΗΣ :

Όχι, εκεί ήταν ο Ευρυσθέας. Ήταν στις Μυκήνες. Αλλά αυτός, ο **βλάκας**, φοβήθηκε το λιοντάρι της Νεμέας. Αυτό το **νεκρό** λιοντάρι, ο Ευρυσθέας το φοβήθηκε για ζωντανό! Μπήκε μέσα σε ένα **πιθάρι** και δεν με πίστεψε ότι είναι λεοντή. Πίστεψε ότι είναι λιοντάρι ζωντανό!

ΑΛΕΞΑΝΔΡΟΣ :

Τελικά, στο **τέλος** ο Ευρυσθέας σε πίστεψε και είπε ότι έχεις πολλούς άθλους ακόμα.

ΗΡΑΚΛΗΣ :

Αυτό είπε. Εσύ μετά μου είπες τι κάνεις κάθε μέρα στη **ζωή** σου στην Αθήνα και μετά κάναμε το μεγάλο λάθος! **Περπατήσαμε**, αλλά περπατήσαμε προς την Αθήνα!

Έδεσα
tied up

Δυνατά
strongly

Μελέαγρο
Meleager, son of Oineas, king of Calydon

Διηάνειρα
Deianira, sister of Meleager, wife of Hercules

Ξύπνησα
woke up

Βλάκας
fool

Νεκρό

Πιθάρι

Τελικά
finally

Τέλος
end

Ζωή
life

Περπατήσαμε
we walked

ΑΛΕΞΑΝΔΡΟΣ :
Ναι, περπατήσαμε στην Αθήνα και πήγαμε στην Αγορά!

Οπωροπώλη
grocery man

Φρούτα

ΗΡΑΚΛΗΣ :
Για αυτό έχω τα νεύρα μου! Αγοράσαμε τόσα ρούχα και σανδάλια για σένα, μιλήσαμε με τον **οπωροπώλη**, αγοράσαμε **φρούτα** και μήλα και μετά είδαμε το φιλόσοφο! Τόσες ημέρες στην Αθήνα και ούτε ένας άθλος ακόμα! Τι θα κάνουμε, Αλέξανδρε; Τα νεύρα μου!

κατ' αρχάς
to begin with

Ψυχραιμία
calm down

σιγά – σιγά
slowly

βιαστικά
in a hurry

ΑΛΕΞΑΝΔΡΟΣ :
Ηρακλή, **κατ' αρχάς ψυχραιμία**! Ήρεμα! Θα κάνουμε και άλλο άθλο, αλλά **σιγά - σιγά**. Όχι γρήγορα! Όχι **βιαστικά**!

βόλτες
long walks

ΗΡΑΚΛΗΣ :
Γιατί όχι βιαστικά; Εγώ είμαι ήρωας! Οι ήρωες κάνουν άθλους! Εγώ τι κάνω εδώ με εσένα; Εγώ κάνω **βόλτες** στην Αθήνα, μίλησα με τον μεγάλο Θησέα, αλλά δεν έκανα ούτε έναν άθλο! Τα νεύρα μου!

σκοντάφτει
stumbles

ΑΛΕΞΑΝΔΡΟΣ :
Ηρακλή! Όποιος βιάζεται, **σκοντάφτει**!

ΗΡΑΚΛΗΣ :
Δηλαδή;

ΑΛΕΞΑΝΔΡΟΣ :

Δηλαδή, όποιος **κάνει** πράγματα γρήγορα και βιαστικά, κάνει **λάθη**!

κάνει makes

λάθη mistakes

ΗΡΑΚΛΗΣ :

Και τι θα κάνουμε;

ΑΛΕΞΑΝΔΡΟΣ :

Θα κάνουμε έναν νέο άθλο, αλλά σιγά - σιγά. Άλλωστε, ξέρεις πώς **το λένε** αυτό το **βιβλίο**;

το λένε is called

βιβλίο

ΗΡΑΚΛΗΣ :

Ποιο βιβλίο; Πώς το λένε;

ΑΛΕΞΑΝΔΡΟΣ :

Το βιβλίο αυτό το λένε Slow Greek! Δηλαδή, **συνεχίζουμε** το **ταξίδι** μας, αλλά σιγά - σιγά και χωρίς νεύρα! Εντάξει.

συνεχίζουμε continue

ταξίδι trip

ΗΡΑΚΛΗΣ :

Εντάξει. Θα **μετρήσω** από το ένα μέχρι το **δέκα** και δεν θα έχω νεύρα. Πάμε….

μετρήσω count

δέκα ten

ΑΣΚΗΣΕΙΣ ΚΑΤΑΝΟΗΣΗΣ ΔΙΑΛΟΓΟΥ

COMPREHENSION EXERCISES

1. Ο Ηρακλής είναι μισός θεός, δηλαδή ημίθεος, και έχει γονείς :

α) έναν θεό και μία θεά, τον Δία και την Αλκμήνη.

β) έναν θεό και μία ημίθεα, τον Δία και την Αλκμήνη.

γ) έναν θεό και μία θνητή, τον Δία και την Αλκμήνη.

δ) τον μπαμπά του και την μαμά του.

2. Ο Ευρυσθέας είναι:

α) αδερφός του Ηρακλή και βασιλιάς της Αθήνας.

β) ξάδερφος του Ηρακλή και βασιλιάς των Μυκηνών.

γ) θείος του Ηρακλή και βασιλιάς των Μυκηνών.

δ) θείος του Αλέξανδρου και βασιλιάς των Μυκηνών.

3. Η Διηάνειρα είναι:

α) αδερφή του Μελέαγρου και γυναίκα του Ηρακλή.

β) θεία του Μελέαγρου και αδερφή του Ηρακλή.

γ) αδερφή του Ευρυσθέα και γυναίκα του Μελέαγρου.

δ) μητέρα του Ευρυσθέα και γυναίκα του Μελέαγρου.

4. Ο Ευρυσθέας φοβήθηκε γιατί πίστεψε :

α) ότι βλέπει τον Ηρακλή.

β) ότι βλέπει τον Δία.

γ) ότι βλέπει μία λεοντή.

δ) ότι βλέπει ένα ζωντανό λιοντάρι.

5. Ο Ηρακλής έχει νεύρα γιατί μαζί με τον Αλέξανδρο:

α) αγόρασαν τόσα ρούχα και σανδάλια.

β) περνάει η ώρα και δεν κάνουν άθλους όπως όλοι οι ήρωες.

γ) είδανε τον φιλόσοφο.

δ) είδανε τον Θησέα.

6. Ο Αλέξανδρος προτείνει στον Ηρακλή να συνεχίσουν με μικρότερη ταχύτητα, δηλαδή:

α) γρήγορα και βιαστικά.

β) γρήγορα αλλά όχι βιαστικά.

γ) σιγά σιγά και με ψυχραιμία, χωρίς νεύρα, όχι γρήγορα.

δ) γρήγορα και με νεύρα.

ΑΣΚΗΣΕΙΣ ΓΙΑ ΚΟΥΒΕΝΤΑ ΔΙΑΛΟΓΟΥ

DISCUSSION EXERCISES

1. Μερικοί λένε "Βαριέμαι τα ίδια και τα ίδια". Στα λατινικά λέγεται "Repetitio est mater studiorum". Εσύ πιστεύεις στην επανάληψη ή είναι βαρετή; Γιατί;

2. Ο Ηρακλής έχει άγχος και νεύρα. Στην τραγωδία του Ευριπίδη Ηρακλής Μαινόμενος, ο Ηρακλής έχει μανία και διαπράττει φρικτό έγκλημα. Το άγχος, τα νεύρα είναι δύναμη παραγωγής ή καταστροφής για σένα;

3. Τι είναι πιο σημαντικό σε ένα έργο; Η ταχύτητα παράδοσης ή η ποιότητά του;

20
Ο ΕΥΡΥΣΘΕΑΣ ΣΩΖΕΙ ΤΗΝ ΛΕΡΝΑ;

ΕΥΡΥΣΘΕΑΣ :
Ηρακλή, έλα εδώ!

Σε Ακούω
I hear you

ΗΡΑΚΛΗΣ :
Ναι, βασιλιά μου! **Σε ακούω**!

Τάχα
supposedly

ΕΥΡΥΣΘΕΑΣ :
Εσύ λες ότι **τάχα** σκότωσες το λιοντάρι της Νεμέας, ναι;

Απλώς
simply, only

ΑΛΕΞΑΝΔΡΟΣ :
Ω Βασιλιά, δεν το λέει **απλώς**. Στα αλήθεια, ο Ηρακλής σκότωσε το λιοντάρι της Νεμέας.

ΗΡΑΚΛΗΣ :
Αλήθεια, βασλιά μου. Πήγα νωρίς το πρωί και το σκότωσα με τα δύο μου χέρια!

Σκοτώνεις
to be killing

Βλέπω
to be watching

ΕΥΡΥΣΘΕΑΣ :
Δεν πιστεύω ότι το σκότωσες. Θέλω να **σκοτώνεις** και να το **βλέπω**!

ΗΡΑΚΛΗΣ :

Μα, Βασιλιά μου, δεν βλέπεις αυτή εδώ τη λεοντή, αυτό το **δέρμα** από λιοντάρι, που **φοράω**; Από το λιοντάρι της Νεμέας είναι.

Δέρμα
skin
Φοράω
I wear

ΑΛΕΞΑΝΔΡΟΣ :

Αλήθεια, από το λιοντάρι της Νεμέας είναι, κύριε Βασιλιά Ευρυσθέα!

Πιστεύω
I believe
Άλλο
other, another
Ξέρω
I know

ΕΥΡΥΣΘΕΑΣ :

Δεν **πιστεύω** τίποτα! Αυτό μπορεί να είναι **άλλο** λιοντάρι! Πού **ξέρω** εγώ; Λοιπόν, θέλω να κάνεις άλλο άθλο τώρα! Με **ακούς**;

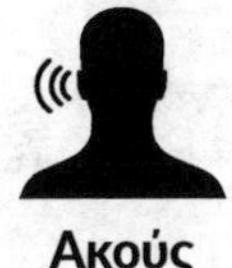
Ακούς

ΗΡΑΚΛΗΣ :

Σε ακούω, Βασιλιά μου.

ΕΥΡΥΣΘΕΑΣ :

Στην **λίμνη Λέρνα**, έχουνε μεγάλο πρόβλημα! Ένα μεγάλο τέρας, με εννιά κεφάλια φιδιού ζει εκεί. Μέσα στην λίμνη Λέρνα. Έξω από την λίμνη Λέρνα δεν μπορεί άνθρωπος να ζήσει. Είναι **επικίνδυνα**! Η **Λερναία Ύδρα φτύνει φωτιά** από τα εννιά της **στόματα** και σκοτώνει τους **ανθρώπους**. Η Λίμνη είναι ένα άχρηστο **έλος**, όλο νερό και **κουνούπια**. Δεν μπορεί κανείς να καλλιεργήσει τη γη.

Λέρνα
Lerna, ancient seaside area
Επικίνδυνα
dangerous
Λερναία Ύδρα
Lernean Hydra, a mythical animal with nine heads
Φτύνει
spits
Σκοτώνει
killing
Ανθρώπους
people
Έλος
swamp

Φωτιά

Στόματα

Κουνούπια

να σκοτώσεις
to kill

διώξεις
make disappear

τέρας

γεωργία
agriculture

Τώρα έξω
now out

Μόνο
only

Παλέψω
fight

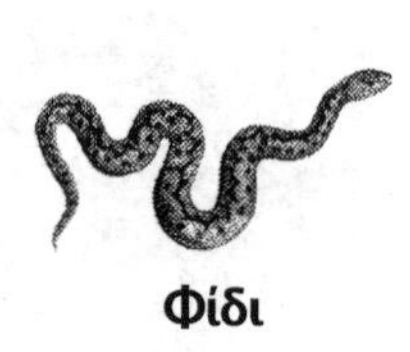

Φίδι

ΗΡΑΚΛΗΣ :

Και εγώ τι θέλεις να κάνω, Βασιλιά μου;

ΕΥΡΥΣΘΕΑΣ :

Θέλω **να σκοτώσεις** την Λερναία Ύδρα! Θέλω εσύ να **διώξεις** όλο το νερό από το έλος και το **τέρας** να φύγει από τη Λίμνη Λέρνα! Θέλω εσύ να κάνεις τη γη καλή για τη **γεωργία**! **Τώρα έξω** από το παλάτι μου και **μόνο** όταν σκοτώσεις τη Λερναία Ύδρα θα είσαι πάλι εδώ! Γεια σου Ηρακλή και Αντίο!

ΗΡΑΚΛΗΣ :

Αντίο, Βασιλιά μου! Με όλη μου τη δύναμη θα **παλέψω** με το τέρας και θα γυρίσω μετά εδώ, στις Μυκήνες! Αλέξανδρε, φεύγουμε…

ΑΛΕΞΑΝΔΡΟΣ :

Ηρακλή, εύκολος είναι αυτός ο άθλος, νομίζω!

ΗΡΑΚΛΗΣ :

Και γιατί είναι εύκολος; Εγώ δεν φοβάμαι, δεν έχω καθόλου φόβο! Αλλά πιστεύω ότι είναι δύσκολο, ένα φίδι με εννιά κεφάλια να το σκοτώσεις.

ΑΛΕΞΑΝΔΡΟΣ :

Ηρακλή, εσύ σκότωσες ολόκληρο Λιοντάρι της Νεμέας ! Σε ένα μικρό **φίδι**, σε ένα φιδάκι σαν τη Λερναία Ύδρα θα έχεις πρόβλημα;

ΗΡΑΚΛΗΣ :

Δεν θα έχω πρόβλημα! Αλλά εδώ ο Ευρυσθέας σου λέει ότι σκοτώνει όλους τους ανθρώπους αυτό το τέρας! Θα **πάρω βοηθό** μου τον **Ιόλαο**! Πάμε και του λέμε ότι θέλουμε **τη βοήθειά του**, εντάξει;

ΑΛΕΞΑΝΔΡΟΣ :

Εντάξει! Πάμε!

Πάρω
take

Βοηθό
helper

Ιόλαο
Iolas, nephew of Hercules

τη βοήθειά του
his help

ΑΣΚΗΣΕΙΣ ΚΑΤΑΝΟΗΣΗΣ ΔΙΑΛΟΓΟΥ

COMPREHENSION EXERCISES

Άσκηση 1: True or False? / Σωστό ή Λάθος;

If there is a mistake in the sentence, write it correctly.

Σ Λ

1. **Στην λίμνη Λέρνα, ζει ένα μεγάλο τέρας, ένα λιοντάρι επικίνδυνο. Αυτό το τέρας φτύνει φωτιά και σκοτώνει τους ανθρώπους. Η Λίμνη είναι μία όμορφη, εύφορη γη και όλοι την καλλιεργούν.** __________

Αν η πρόταση είναι λάθος, γράψε τη σωστά.

2. **Ο Ηρακλής θα σκοτώσει την Λερναία Ύδρα, θα καθαρίσει το έλος και θα κάνει τη γη καλύτερη για τους ανθρώπους.** __________

Αν η πρόταση είναι λάθος, γράψε τη σωστά.

3. **Ο Ιόλαος αποφασίζει ότι είναι δύσκολος άθλος η Λερναία Ύδρα και θα βοηθήσει τον Ευρυσθέα να την σκοτώσουν.** __________

Αν η πρόταση είναι λάθος, γράψε τη σωστά.

4. **Ο Ηρακλής φοβάται την Λερναία Ύδρα επειδή είναι πιο δύσκολη από το Λιοντάρι της Νεμέας.** __________

Αν η πρόταση είναι λάθος, γράψε τη σωστά.

ΑΣΚΗΣΕΙΣ ΓΙΑ ΚΟΥΒΕΝΤΑ ΔΙΑΛΟΓΟΥ

DISCUSSION EXERCISES

1. **Μερικοί εξηγούν τον μύθο της Λερναίας Ύδρας με έργα αποξήρανσης του έλους της Λέρνας στην Αργολίδα. Τότε, το νερό ήταν πολύ, περισσότερο από όσο θέλανε. Σήμερα; Το νερό είναι λιγότερο; Ή είναι αρκετό κατά τη γνώμη σου;**

2. **Η Λερναία Ύδρα συμβολίζει κάτι. Το λιοντάρι της Νεμάς επίσης συμβολίζει κάτι άλλο. Τι ρόλο παίζουν τα σύμβολα στη ζωή σου σήμερα;**

21

ΗΡΑΚΛΗΣ, ΔΙΗΑΝΕΙΡΑ ΚΑΙ ΑΛΕΞΑΝΔΡΟΣ ΣΤΗΝ ΤΑΒΕΡΝΑ

Γνωρίσεις
meet

γυναίκα μου

μονομάχησα
I fought

Κύκνο
Kyknos

Μυαλό

Σκέψη
thought

Νικήσω
win

Στρατηγική
strategy

Άντρα μου
my husband

Καλέ
good man

ΑΛΕΞΑΝΔΡΟΣ :

Ηρακλή, πού θα πάμε τώρα;

ΗΡΑΚΛΗΣ :

Θα σου πω. Πάμε να **γνωρίσεις** την **γυναίκα μου**, την Διηάνειρα. Όταν **μονομάχησα** με τον **Κύκνο**, η Διηάνειρα με βοήθησε.

ΑΛΕΞΑΝΔΡΟΣ :

Δηλαδή δεν ήταν αληθινή μονομαχία; Αφού σε βοήθησε, πολεμήσατε δύο εναντίον ενός!

ΗΡΑΚΛΗΣ :

Όχι, μονομαχία ήταν! Απλώς με βοήθησε στο **μυαλό**! Με βοήθησε να κάνω σωστή **σκέψη** και να **νικήσω** με **στρατηγική** τον Κύκνο! Κατάλαβες; Διηάνειρα, έ! Διηάνειρα, έλα εδώ!

ΔΙΗΑΝΕΙΡΑ :

Άντρα μου καλέ! Ηρακλή μου! Τι θέλεις;

ΗΡΑΚΛΗΣ :

Διηάνειρα, έλα να σου γνωρίσω τον φίλο μου, τον Αλέξανδρο! Αλέξανδρε, από εδώ, η γυναίκα μου, η Διηάνειρα! Διηάνειρα, από εδώ ο φίλος μου, ο Αλέξανδρος!

ΑΛΕΞΑΝΔΡΟΣ :

Κυρία Διηάνειρα, **χάρηκα**!

Κυρία
lady

Χάρηκα
glad / nice to meet you

ΔΙΗΑΝΕΙΡΑ :

Χάρηκα πολύ κι εγώ, Αλέξανδρε! Τι κάνεις; Από πού είσαι;

ΑΛΕΞΑΝΔΡΟΣ :

Από εδώ είμαι, από την Αθήνα! Εδώ, με τον Ηρακλή, τον **βοηθώ** στους άθλους του. Θα έρθετε μαζί μας;

Βοηθώ
help

πείνασα

ταβέρνα

ΔΙΗΑΝΕΙΡΑ :

Ναι, θα έρθω. Αλλά Ηρακλή, πού θα πάμε;

ΗΡΑΚΛΗΣ :

Εγώ **πείνασα**! Έχω μια ιδέα! Τι λέτε; Πάμε σε μία **ταβέρνα** για φαγητό;

ΑΛΕΞΑΝΔΡΟΣ :

Για φαγητό; Μα, Ηρακλή, **τελευταία φορά** φάγαμε στην Αρχαία Αγορά!

τελευταία
last

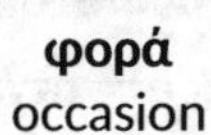

φορά
occasion

φτηνή
cheap

πιάτα

ακριβά
expensive

Ποικίλη Στοά
The Painted Porch

Ταράτσα
terrace

Αυλή
courtyard

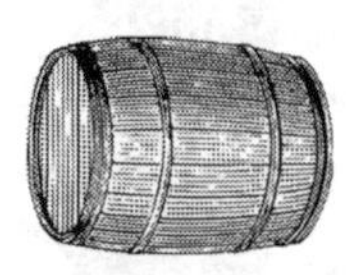

Βαρέλια

Σπιτικό
homemade

Θέα
view

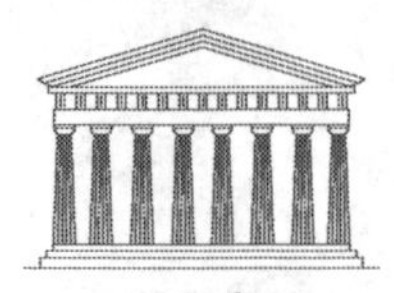

Ναό

Ηφαίστου

Περπατάνε
they walk

ΗΡΑΚΛΗΣ :

Ακριβώς! Είναι μία ταβέρνα εδώ, πίσω από την αγορά, πολύ ωραία και **φτηνή**!

ΑΛΕΞΑΝΔΡΟΣ :

Φτηνή; Δηλαδή;

ΔΙΗΑΝΕΙΡΑ :

Δηλαδή τα **πιάτα** της δεν είναι **ακριβά**! Μου αρέσει αυτή η ταβέρνα! Την ταβέρνα "**Ποικίλη Στοά**" δεν λες, Ηρακλή;

ΗΡΑΚΛΗΣ :

Ναι, αυτή λέω! Την ταβέρνα που είναι στην **ταράτσα**, και κάτω έχει **αυλή**!

ΔΙΗΑΝΕΙΡΑ :

Μου αρέσει πολύ αυτή η ταβέρνα. Μ' αρέσει η αυλή της, μ' αρέσει η ταράτσα της, τα μεγάλα **βαρέλια** στην αυλή, το **σπιτικό** φαγητό της κουζίνας. Μ' αρέσει η **θέα** που έχει : βλέπεις όλη την Αρχαία Αγορά! Και το **ναό** του **Ηφαίστου**! Πάμε!

ΑΛΕΞΑΝΔΡΟΣ :

Πάμε, ναι!

Περπατάνε *και φτάνουν στην ταβέρνα.*

ΣΕΡΒΙΤΟΡΟΣ :

Καλησπέρα! Είστε **έτοιμοι** να **παραγγείλετε**;

ΗΡΑΚΛΗΣ :

Να παραγγείλουμε; Ε, ένα **λεπτό**. Καλή μου γυναίκα, ξέρουμε τι θέλουμε;

ΔΙΗΑΝΕΙΡΑ :

Να **διαβάσω** λίγο τον **Κατάλογο**; Εμ, το **μενού** παρακαλώ;

ΣΕΡΒΙΤΟΡΟΣ :

Ορίστε, **με την ησυχία σας**!

ΔΙΗΑΝΕΙΡΑ :

Για να δούμε… Λοιπόν, τι λες, Αλέξανδρε;

ΑΛΕΞΑΝΔΡΟΣ :

Τι θα πάρουμε από **ορεκτικά**;

ΗΡΑΚΛΗΣ :

Τζατζίκι **οπωσδήποτε**! Και λίγο **τυρί**! Φέτα ή **σαγανάκι**;

ΔΙΗΑΝΕΙΡΑ :

Και τα δύο! Λοιπόν, θα μας φέρετε μία **μερίδα** τζατζίκι, μία χωριάτικη **σαλάτα** με φέτα και ένα σαγανάκι. Μία μερίδα πατάτες και μία **κολοκυθάκια τηγανιτά**.

Έτοιμοι
ready

Παραγγείλετε
order

Λεπτό
minute

Διαβάσω

ο Κατάλογος / το Μενού
menu

με την ησυχία σας
take your time

Ορεκτικά
appetizers

Οπωσδήποτε
doubtlessly

Τυρί

Σαγανάκι
saganaki (deep fried kasseri cheese)

Μερίδα

Κολοκυθάκια

Τηγανιτά
deep fried

ΣΕΡΒΙΤΟΡΟΣ :

Μάλιστα. Τι άλλο θα θέλατε;

ΔΙΗΑΝΕΙΡΑ :

Θα φάμε **κρέας** ή **ψάρι**;

ΑΛΕΞΑΝΔΡΟΣ :

Εγώ νομίζω ότι θέλω και λίγο ψάρι και λίγο κρέας!

Γαύρο
anchovy

Κεφτεδάκια
fried meatballs

Παρακαλώ
please

ΗΡΑΚΛΗΣ :

Ναι, να πάρουμε λίγο από όλα! Μία μερίδα **γαύρο** και μία μερίδα **κεφτεδάκια παρακαλώ**!

ΔΙΗΑΝΕΙΡΑ :

Ηρακλή! Σιγά σιγά! Σαν πολλά δεν είναι;

Λύκος

Πιούμε

ΗΡΑΚΛΗΣ :

Καλή μου γυναίκα, πεινάω σαν **λύκος**! Θα τα φάω όλα! Τι θα **πιούμε**;

ΔΙΗΑΝΕΙΡΑ :

Εγώ θέλω νερό!

ΗΡΑΚΛΗΣ :

Εγώ θέλω κρασί! Εσύ μικρέ;

Σαλάτα

Κρέας

Ψάρι

ΑΛΕΞΑΝΔΡΟΣ :
Εγώ θέλω κοκακόλα! Αλλά έχει κόκα κόλα;

ΗΡΑΚΛΗΣ :
Η κόκα κόλα κάνει κακό στο **στομάχι**! Είσαι **σίγουρος**;

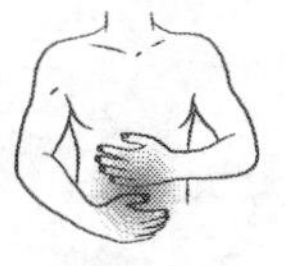

Στομάχι

Σίγουρος
certain, sure

ΔΙΗΑΝΕΙΡΑ :
Τι είναι κόκα κόλα;

ΑΛΕΞΑΝΔΡΟΣ :
Έχει δίκιο ο Ηρακλής. Θα πάρω και εγώ λίγο κρασί, αλλά με νερό.

ΣΕΡΒΙΤΟΡΟΣ :
Τι κρασί θέλετε παρακαλώ; **Λευκό** ή κόκκινο;

Λευκό
white

Άτομα
persons

ΗΡΑΚΛΗΣ :
Κόκκινο! Ένα κιλό!

ΔΙΗΑΝΕΙΡΑ :
Ένα κιλό για τρία **άτομα**; Ηρακλή είσαι καλά;

ΗΡΑΚΛΗΣ :
Δίκιο έχεις, γυναίκα. Μισό κιλό, λοιπόν, εντάξει;

Αμέσως
immediately

ΣΕΡΒΙΤΟΡΟΣ :
Ευχαριστώ. Έρχομαι **αμέσως** με την παραγγελία σας!

Ορίστε το **ψωμί** σας, **καλή σας όρεξη**!

Ψωμί

καλή σας όρεξη
bon appétit

ΑΣΚΗΣΕΙΣ ΚΑΤΑΝΟΗΣΗΣ ΔΙΑΛΟΓΟΥ

COMPREHENSION EXERCISES

1. Η Διηάνειρα βοήθησε τον Ηρακλή στον άθλο με τον Κύκνο :

α) επειδή σκότωσε τον Κύκνο με τα χέρια της.

β) επειδή έδειξε στον Ηρακλή τη στρατηγική σκέψη και τρόπο μάχης με τον Κύκνο.

γ) επειδή μονομάχησε με τον Ηρακλή.

δ) επειδή μονομάχησε με τον Ιόλαο και μπέρδεψε τον Κύκνο.

2. Η "Ποικίλη Στοά" στον διάλογο είναι :

α) ένα κτήριο - τόπος διδασκαλίας του φιλοσόφου Ζήνωνα με διάσημες τοιχογραφίες.

β) ταβέρνα σε μία αυλή.

γ) ταβέρνα σε μία ταράτσα που έχει και αυλή.

δ) τόπος διδασκαλίας των στωικών φιλοσόφων.

3. Στην Διηάνειρα αρέσει πολύ η "Ποικίλη Στοά" επειδή

α) έχει τα μεγάλα βαρέλια στην αυλή, σπιτικό φαγητό και πανέμορφη θέα.

β) έχει πολύ ήρεμους φιλοσόφους.

γ) έχει πολύ καλό κρασί.

δ) είναι φτηνή.

4. **Ο Ηρακλής στον διάλογο :**

   α) είναι χορτοφάγος, δεν θέλει κρέας και ψάρι, αλλά μόνο λαχανικά.

   β) είναι κρεατοφάγος, τρώει μόνο κρέας.

   γ) είναι παμφάγος, τρώει και κρέας και ψάρι και λαχανικά.

   δ) δεν πεινάει πολύ, άρα δεν τρώει.

5. **Ο Αλέξανδρος πώς ζητάει το κρασί από τον σερβιτόρο;**

   α) όπως μόνον οι δυνατοί κάνουν, σκέτο, πολύ και καθαρό κρασί, χωρίς νερό.

   β) όπως θέλει, δηλαδή λίγο κρασί με νερό.

   γ) σιγά σιγά και με την ησυχία του.

   δ) "Ένα κιλό κόκκινο!".

ΑΣΚΗΣΕΙΣ ΓΙΑ ΚΟΥΒΕΝΤΑ ΔΙΑΛΟΓΟΥ

DISCUSSION EXERCISES

1. **Τι φαγητά σου αρέσουν; Προτιμάς κουζίνες από διαφορετικές χώρες; Τι δίαιτα ακολουθείς; Οι πολλές επιλογές κουζίνας δίνουν ποικιλία ή δεν έχουν χαρακτήρα και κουλτούρα;**

2. **Σου αρέσει να μαγειρεύεις στο σπίτι; Ο σύγχρονος τρόπος ζωής δίνει χρόνο για αυτό;**

3. **«Μέτρον ἄριστον» και «ἡδονῆς κρατεῖν». Ισχύουν αυτά τα δύο ρητά και για το κρασί;**

22
Ο ΗΡΑΚΛΗΣ ΣΩΖΕΙ ΤΗΝ ΛΕΡΝΑ

Ευτυχώς
thankfully
Φώναξα
I called, shouted

Άρμα

ΗΡΑΚΛΗΣ :

Ευτυχώς φώναξα τον ανηψιό μου, τον Ιόλαο σε αυτόν τον δύσκολο άθλο! Ιόλαε, ε, Ιόλαε! Άφησε το **άρμα** και έλα εδώ τώρα!

ΙΟΛΑΟΣ :

Ήρθα, θείε Ηρακλή. Εδώ είμαι. Τι θέλεις; Έδεσα τα άλογα σε ένα δέντρο.

ΑΛΕΞΑΝΔΡΟΣ :

Ηρακλή, πού είναι αυτό το τέρας, η Λερναία Ύδρα;

Κρύβεται
is hiding

Φωλιά

Βοήθειά
help

ΗΡΑΚΛΗΣ :

Η Λερναία Ύδρα είναι μέσα στη λίμνη Λέρνα! Εκεί μέσα, κοντά στην πηγή. Η Λερναία Ύδρα **κρύβεται**, είναι μέσα στη **φωλιά** της. Θέλω τη **βοήθειά** σας. Εσύ, Αλέξανδρε, φέρε **ξύλα**. Τώρα!

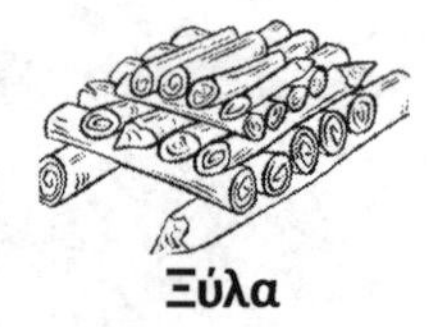

Ξύλα

ΑΛΕΞΑΝΔΡΟΣ :

Εντάξει, εγώ φέρνω ξύλα τώρα!

ΗΡΑΚΛΗΣ :

Εσύ, Ιόλαε, με τα ξύλα, **άναψε** μία **φωτιά**.

Άναψε
light

Φωτιά

ΙΟΛΑΟΣ :

Μάλιστα, θείε. Ανάβω μία φωτιά με τα ξύλα τώρα. Και τι θα κάνουμε με τη φωτιά; Είναι **επικίνδυνη**!

επικίνδυνη
dangerous

ΗΡΑΚΛΗΣ :

Επειδή η Ύδρα κρύβεται μέσα στη φωλιά, έχω ένα **σχέδιο** : Θα ανάψουμε φωτιά και θα κάψουμε τα **βέλη** μου. Εγώ θα ρίξω με το **τόξο** τα βέλη στη φωλιά του τέρατος. Η Ύδρα δεν θα αντέξει τη φωτιά και θα βγει έξω. Όταν βγει έξω από τη φωλιά, βλέπουμε τι θα κάνουμε. Φέρε μου τα **πυρωμένα** βέλη τώρα!

σχέδιο
plan

βέλη

τόξο

πυρωμένα
calcined, roasted

ΙΟΛΑΟΣ :

Ορίστε, θείε : Τα βέλη με τη φωτιά στην άκρη, **όπως θέλεις**.

όπως θέλεις
as you like

ΗΡΑΚΛΗΣ :

Ευχαριστώ, μικρέ. Ει- οπ, έι- οπ! Άντε, **μωρή παλιο- Ύδρα**, έλα έξω τώρα! Δεύρο έξω!

μωρή παλιο-Ύδρα
bloody old Hydra

ΑΛΕΞΑΝΔΡΟΣ :

Δεν βλέπω τίποτα. Όλο **καπνούς** γέμισε το έλος! Τι **σκοτάδι** είναι αυτό! Και το τέρας δεν βγαίνει έξω!

Καπνούς
smoke

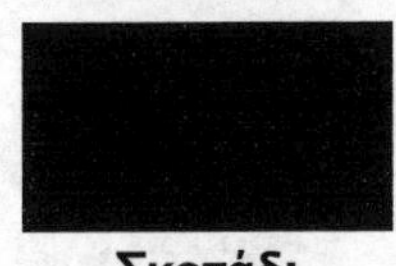

Σκοτάδι

Στο χέρι του είναι;
is it in his hand?
(is it his decision?)

ΗΡΑΚΛΗΣ :

Περίμενε λίγο! **Στο χέρι του είναι**; Αφού δεν έχει χέρια! Έχει εννιά κεφάλια φιδιού και ένα από αυτά είναι αθάνατο, ξέρω. Λοιπόν, έλα μωρή Ύδρα! Έλα έξω!

Δράκος

ΙΟΛΑΟΣ :

Να τη! Τη βλέπω! Πω πω πω! Τι μεγάλα κεφάλια είναι αυτά που έχει! Πω πω σα **δράκος** είναι!

ΗΡΑΚΛΗΣ :

Μη φοβάσαι, Ιόλαε!

ΙΟΛΑΟΣ :

Δεν φοβάμαι! Τι κάνουμε τώρα; Την ξυπνήσαμε και έρχεται προς τα εδώ!

Ρόπαλο

Δρεπάνι
scythe

ΗΡΑΚΛΗΣ :

Τώρα κόβουμε τα κεφάλια της Ύδρας! Δώσε μου το **ρόπαλο** και το **δρεπάνι**!

ΙΟΛΑΟΣ :

Σου δίνω το ρόπαλο και το δρεπάνι. Ορίστε, θείε!

Τυλίγει
wrapping

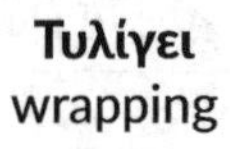

Κάβουρα

ΑΛΕΞΑΝΔΡΟΣ :

Εγώ τι να κάνω; Φοβάμαι! Ηρακλή, αυτή η παλιο-Ύδρα σου **τυλίγει** το ένα πόδι και βλέπω και έναν **κάβουρα** μεγάλο! Ο κάβουρας βγαίνει από τη λίμνη! Τι κάνουμε;

ΗΡΑΚΛΗΣ :

Με **θάρρος** και **δύναμη** παλεύουμε, άντρες!

ΙΟΛΑΟΣ - ΑΛΕΞΑΝΔΡΟΣ :

Εμείς δεν είμαστε άνδρες, Ηρακλή. Είμαστε **παιδιά** εμείς! Ωχού! Τι κάνουμε τώρα;

ΗΡΑΚΛΗΣ :

Θα κόψω το κεφάλι αυτό εδώ! Χραπ....
(ήχος από δρεπάνι που κόβει)
Μα τον Δία! Φύτρωσαν δύο κεφάλια άλλα! Θα τα κόψω και αυτά! Χραπ....
(**ήχος** από δρεπάνι που **κόβει**)
Μα τον Δία και την Ήρα μαζί! **Φύτρωσαν** τέσσερα κεφάλια άλλα! Δεν κάνουμε **δουλειά** έτσι, ένα κεφάλι κόβω, δύο κεφάλια βγαίνουν! Ιόλαε, βοήθεια!

ΙΟΛΑΟΣ :

Τι να κάνω θείε; Δεν ξέρω τι να κάνω!!!

ΗΡΑΚΛΗΣ :

Εγώ θα κόβω το κεφάλι και εσύ **θα καις** τη **ρίζα** στο **λαιμό** της Ύδρας με τη φωτιά! Έτσι δεν θα φυτρώνει άλλο κεφάλι! Κατάλαβες;

ΙΟΛΑΟΣ :

Κατάλαβα!
(Θόρυβος από δρεπάνι που κόβει και φωτιά που καίει - πολλές φορές, **φωνές** ανδρών)

Θάρρος
courage

Δύναμη

Παιδιά

Ήχος
sound of

Κόβει
is cutting

Φύτρωσαν
they sprouted

Δουλειά
job

θα καις
you will be burning

ρίζα
root

λαιμός

φωνές
voices

Ουστ
go away

Ξεφυσάει
puffs up

Πέθανε
died

Πετάξω μακριά
throw away

Ξανακολλήσει
paste again

Τελειώσαμε
we finished

Φοβήθηκα
frightened

Νέα
news

ΗΡΑΚΛΗΣ :

Ουστ κι εσύ παλιο-κάβουρα! Έι - όπ!
(Θόρυβος από δρεπάνι που κόβει και φωτιά που καίει - πολλές φορές, φωνές ανδρών)

ΗΡΑΚΛΗΣ :

Το τέρας **ξεφυσάει**! **Πέθανε**! Ένα κεφάλι έμεινε!
Θα το κόψω (ΧΡΑΑΑΠ) και θα το **πετάξω μακριά**!
Τώρα δεν θα **ξανακολλήσει** ποτέ το κεφάλι στο σώμα της Ύδρας! Έι - οπ!
Ιόλαε, Αλέξανδρε, τελειώσαμε!

ΑΛΕΞΑΝΔΡΟΣ :

Ουφ! Ευτυχώς **τελειώσαμε**! **Φοβήθηκα** πάρα πολύ!

ΙΟΛΑΟΣ :

Και εγώ πολύ φοβήθηκα! Πω πω τι τέρας ήταν αυτό!

ΗΡΑΚΛΗΣ :

Παιδιά, δεν ξέρω τι θα έκανα χωρίς εσάς! Πάμε πάλι στον Ευρυσθέα, έχουμε **νέα** να του πούμε!
Πάμε!

ΙΟΛΑΟΣ - ΑΛΕΞΑΝΔΡΟΣ :

Πάμε, Ηρακλή!

ΑΣΚΗΣΕΙΣ ΚΑΤΑΝΟΗΣΗΣ ΔΙΑΛΟΓΟΥ

COMPREHENSION EXERCISES

Άσκηση 1: True or False? / Σωστό ή Λάθος;
If there is a mistake in the sentence, write it correctly.

Σ Λ

1. **Ο Ιόλαος είναι ανηψιός του Ηρακλή, δηλαδή ο Ηρακλής είναι θείος του. Ο Ιόλαος πρώτα δένει την Λερναία Ύδρα σε ένα δέντρο και μετά πολεμάει με τα άλογα.** ________

   Αν η πρόταση είναι λάθος, γράψε τη σωστά.

2. **Ο Ηρακλής θα σκοτώσει την Λερναία Ύδρα, έχει για αυτό ένα σχέδιο. Θα ανάψει φωτιά στη φωλιά με ένα δαυλό. Η φωτιά θα αρέσει στην Ύδρα και θα βγει έξω.** ________

   Αν η πρόταση είναι λάθος, γράψε τη σωστά.

3. **Ο Αλέξανδρος δεν βλέπει καλά στη λίμνη Λέρνα, επειδή είναι νύχτα και έχει πυκνό σκοτάδι.** ________

   Αν η πρόταση είναι λάθος, γράψε τη σωστά.

4. **Ο Ηρακλής κόβει δύο κεφάλια της Ύδρας και εκείνη πεθαίνει αμέσως.** ________

   Αν η πρόταση είναι λάθος, γράψε τη σωστά.

ΑΣΚΗΣΕΙΣ ΓΙΑ ΚΟΥΒΕΝΤΑ ΔΙΑΛΟΓΟΥ

DISCUSSION EXERCISES

1. Ένας σκηνοθέτης (Ο Γούντι Άλλεν) λέει "Αν θέλεις να κάνεις το θεό να γελάσει, πες του για τα σχέδιά σου". Τι ρόλο παίζουν τα σχέδια στη ζωή σου σήμερα;

2. Ο Ηρακλής και ο Ιόλαος κόβουν ένα κεφάλι της Ύδρας και φυτρώνουν δύο. Σου συμβαίνει να λύνεις ένα πρόβλημα και να προκύπτουν δύο νέα; Τι κάνεις σε τέτοιες περιπτώσεις;

3. Τι είναι αθανασία για σένα;

23

ΑΡΤΟΝ ΚΑΙ ΘΕΑΜΑΤΑ

(ΣΤΗΝ ΤΑΒΕΡΝΑ)

ΑΛΕΞΑΝΔΡΟΣ :
Πω πω φάγαμε πολύ!

ΗΡΑΚΛΗΣ :
Ναι, αλλά όλα τα φαγητά ήταν πολύ νόστιμα! Λοιπόν, τι θα κάνουμε τώρα; Θέλεις να πάμε κάπου, καλή μου Διηάνειρα;

ΔΙΗΑΝΕΙΡΑ :
Ηρακλή μου, δεν ξέρω! Εσύ τι θέλεις;

ΑΛΕΞΑΝΔΡΟΣ :
Έχω μία ιδέα! Θέλετε να πάμε στον **κινηματογράφο**;

Κινηματογράφος

ΗΡΑΚΛΗΣ :
Τι είναι ο κινηματογράφος, Αλέξανδρε;

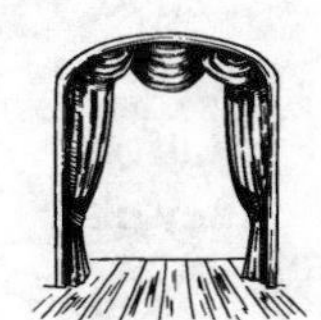

Θέατρο

Οθόνη
screen

ΑΛΕΞΑΝΔΡΟΣ :
Ο κινηματογράφος είναι σαν το **θέατρο**, αλλά βλέπεις τους ηθοποιούς σε μία μεγάλη **οθόνη**!

Ηθοποιούς
actors

ΗΡΑΚΛΗΣ :
Και είναι εκεί οι **ηθοποιοί**; Στην οθόνη μέσα;

Τηλεόραση

Φιλμ

ΑΛΕΞΑΝΔΡΟΣ :
Όχι, οι ηθοποιοί δεν είναι μέσα στην οθόνη! Ο κινηματογράφος είναι σαν την **τηλεόραση**, βλέπεις το **φιλμ**, όχι τους ανθρώπους.

Τραγωδία
tragedy

εν Άστει
in the city

Διονύσια
Dionysia, festivities to honor the god Dionysus

Πρόβλημα
problem

ΔΙΗΑΝΕΙΡΑ :
Αλέξανδρε, δεν καταλαβαίνω τι είναι κινηματογράφος. Γιατί δεν πάμε στο θέατρο; Να πάμε να δούμε μία παράσταση! Μία καλή **τραγωδία**! Ξέρω ότι αυτές τις ημέρες είναι εορτή στην Αθήνα, τα **εν Άστει Διονύσια**! Πάμε εκεί, στο Θέατρο του Διονύσου; Τι λέτε;

ΗΡΑΚΛΗΣ :
Πολύ καλή ιδέα, γυναίκα μου! Αλλά υπάρχει ένα **πρόβλημα**.

ΔΙΗΑΝΕΙΡΑ :
Ποιο πρόβλημα;

Έργο
work

Παίζουν
they play

ΗΡΑΚΛΗΣ :
Ποιο **έργο** είπες ότι **παίζουν** αυτές τις ημέρες;

Ηρακλή Μαινόμενο
foolish Hercules

ΔΙΗΑΝΕΙΡΑ :
Δεν είπα ποιο έργο παίζουν! Αλλά ξέρω! Παίζουν τον ***Ηρακλή Μαινόμενο***, του Ευριπίδη.

ΗΡΑΚΛΗΣ :

Αυτό είναι το πρόβλημα, Διηάνειρά μου! Θα καταλάβουν όλοι ότι εγώ, ένας ημίθεος, είμαι μέσα στο θέατρο! Όταν δούνε την λεοντή μου, θα με καταλάβουν όλοι οι Αθηναίοι. Και δεν ξέρω τι θα γίνει! Θα είναι επικίνδυνο! Δεν νομίζω ότι είναι δυνατόν να πάμε. Δεν μπορώ να πάω στο θέατρο, Διηάνειρα. Δεν μπορώ να πάω έτσι, με αυτά τα ρούχα.

ΔΙΗΑΝΕΙΡΑ :

Α, **κανένα** πρόβλημα! Υπάρχει λύση!

κανένα
none

ΑΛΕΞΑΝΔΡΟΣ :

Ποια είναι η **λύση**;

λύση
solution

Αθηναίου
Athenian

Εμπόρου
merchant

Φυλάξουμε
keep it

Παράσταση
performance

ΔΙΗΑΝΕΙΡΑ :

Ηρακλή, εσύ θα φορέσεις τα ρούχα ενός **Αθηναίου εμπόρου**. Δεν θα φορέσεις τη λεοντή! Θα **φυλάξουμε** την λεοντή και θα την φορέσεις μετά την **παράσταση**. Έτσι, δεν θα καταλάβει κανένας ότι είσαι ο Ηρακλής!

ΗΡΑΚΛΗΣ :

Πολύ καλή ιδέα. Έτσι θα δω και εγώ τι έγραψε αυτός ο Ευριπίδης για μένα. Και δεν θα καταλάβει κανείς ότι ένας ημίθεος είναι μέσα στο θέατρο.

ΑΛΕΞΑΝΔΡΟΣ :

Μπράβο, Διηάνειρα! Πολύ καλή ιδέα! Άκουσα ότι και η Αθηνά όταν μιλάει στον Οδυσσέα δεν είναι **ντυμένη** Αθηνά. Είναι ντυμένη **Μέντορας**, και δεν καταλαβαίνει κανείς ότι είναι η Αθηνά. Μπράβο σου!

Ντυμένη
dressed

Μέντορας
Mentor, a character in the Odyssey. The goddess Athena would often take his appearance.

ΔΙΗΑΝΕΙΡΑ :

Λοιπόν, εντάξει. Φεύγουμε τώρα από την ταβέρνα; Πάμε κάπου αλλού να κάνουμε το **κόλπο** αυτό;

Κόλπο
scheme

ΗΡΑΚΛΗΣ :

Ναι, πάμε! Θα αγοράσουμε ρούχα εμπόρου από την Αγορά και θα **αλλάξω** αυτά που φοράω ! Ωραία!

Αλλάξω
change

(ΦΕΥΓΟΥΝ ΑΠΟ ΤΗΝ ΤΑΒΕΡΝΑ)

ΑΣΚΗΣΕΙΣ ΚΑΤΑΝΟΗΣΗΣ ΔΙΑΛΟΓΟΥ

COMPREHENSION EXERCISES

1. **Η Διηάνειρα με τον Ηρακλή θέλουν άρτο και θεάματα. Γι' αυτό :**

   α) πηγαίνουν στον κινηματογράφο.

   β) πηγαίνουν στο θέατρο της Επιδαύρου.

   γ) πηγαίνουν στο θέατρο του Διονύσου.

   δ) πηγαίνουν σε μία ταβέρνα και μετά στο θέατρο του Διονύσου.

2. **Ο Ηρακλής φοβάται να πάει στο θέατρο επειδή :**

   α) παίζουν τον Ηρακλή Μαινόμενο.

   β) φοράει λεοντή και όλοι θα καταλάβουν ότι ένας ημίθεος είναι μέσα στο θέατρο.

   γ) έχει ακριβό εισιτήριο.

   δ) το έργο αργεί να αρχίσει.

3. **Η Διηάνειρα έχει μία πολύ έξυπνη ιδέα:**

   α) Ο Ηρακλής θα φορέσει τα ρούχα ενός Αθηναίου εμπόρου.

   β) Ο Ηρακλής δεν θα πάει στο θέατρο.

   γ) Ο Ηρακλής θα φορέσει τα ρούχα της Διηάνειρας.

   δ) Ο Ηρακλής θα παίξει στην τραγωδία.

4. **Ο Αλέξανδρος θυμάται ότι στην Οδύσσεια :**

   α) όταν ο Μέντορας μιλάει στον Οδυσσέα, είναι ντυμένος Αθηνά.

   β) όταν η Αθηνά μιλάει στον Οδυσσέα δεν είναι ντυμένη Αθηνά, είναι ντυμένη Μέντορας.

   γ) όταν η Αθηνά μιλάει, κανείς δεν καταλαβαίνει τι λέει.

   δ) όταν ο Μέντορας μιλάει, κανείς δεν καταλαβαίνει τι λέει.

ΑΣΚΗΣΕΙΣ ΓΙΑ ΚΟΥΒΕΝΤΑ ΔΙΑΛΟΓΟΥ

DISCUSSION EXERCISES

1. **Τι σου αρέσει περισσότερο; Το θέατρο ή ο κινηματογράφος; Γιατί;**

2. **Τι γνώμη έχεις για τις τηλεοπτικές σειρές; Είναι ισάξιες του καλού κινηματογράφου ή όχι; Γιατί;**

3. **Τι ρόλο παίζουν τα ρούχα και η ένδυση στη γνώμη που έχεις για έναν άνθρωπο; Γιατί;**

24

ΜΕΤΑ ΤΟ ΘΕΑΤΡΟ ; ΧΑΝΓΚΟΒΕΡ

(ΜΕΤΑ ΤΟ ΘΕΑΤΡΟ)

Έργο
play

ΑΛΕΞΑΝΔΡΟΣ :
Ηρακλή, σου άρεσε το **έργο**;

ΗΡΑΚΛΗΣ :
Όχι, δεν μου άρεσε καθόλου αυτό το έργο! Αυτός που το έγραψε…

ΑΛΕΞΑΝΔΡΟΣ :
Ο Ευριπίδης;

Μεγάρα
Megára, daughter of king of Thebes

ΗΡΑΚΛΗΣ :
Ναι, ο Ευριπίδης! Ο Ευριπίδης δεν έχει ιδέα για το πώς έγιναν τα πράγματα! Κατ' αρχάς, δεν σκότωσα εγώ τα παιδιά μου και τη γυναίκα μου τη **Μεγάρα**!

τρελάθηκες
you became insane

μανία
mania

ΑΛΕΞΑΝΔΡΟΣ :
Αλλά τι έγινε; Ο Ευριπίδης λέει ότι εσύ **τρελάθηκες** και δεν έβλεπες καλά και τα σκότωσες μέσα στη **μανία** σου!

ΗΡΑΚΛΗΣ :

Εγώ τρελάθηκα; Τι λέει βρε Διηάνειρα αυτός; Τρελάθηκα εγώ; Με ξέρεις, είναι δυνατόν εγώ να τρελάθηκα;

ΔΙΗΑΝΕΙΡΑ :

Όχι, άντρα μου. Είναι αδύνατον!

ΗΡΑΚΛΗΣ :

Άκου, Αλέξανδρε. Εγώ πρώτα με **πόνεσε** το κεφάλι μου. Με πόνεσε το κεφάλι μου πάρα πολύ! Να, όπως τώρα… Πω πω πω, με πονάει το κεφάλι μου! Πολύ κρασί ήπια ρε!

πόνεσε
hurt, pain

ΔΙΗΑΝΕΙΡΑ :

Ηρακλή, έχεις **πονοκέφαλο**; Γιατί; Πόσο κρασί ήπιες εσύ, Ηρακλή;

πονοκέφαλο

ΗΡΑΚΛΗΣ :

Εγώ ήπια πολύ κρασί και λίγο νερό. Ο Αλέξανδρος ήπιε λίγο κρασί και πολύ νερό. Γι' αυτό τώρα δεν έχει πονοκέφαλο… Ουφ… Αλλά ένα - ένα τα πράγματα! Τότε, με την πρώτη μου γυναίκα, την Μεγάρα, είχα πονοκέφαλο! Ε, και τι να κάνω; Εγώ έπεσα κάτω και κοιμήθηκα, κοιμήθηκα βαριά, κοιμήθηκα έναν ύπνο βαθύ!

ΑΛΕΞΑΝΔΡΟΣ :

Και μετά; Τι έγινε μετά τον ύπνο;

ξύπνησα

ήδη
already

είχαν σκοτωθεί
had been killed

Κάποιος
somebody

Βλακείες
nonsense

Χάλια
a mess

είμαι κομμάτια
I am into pieces

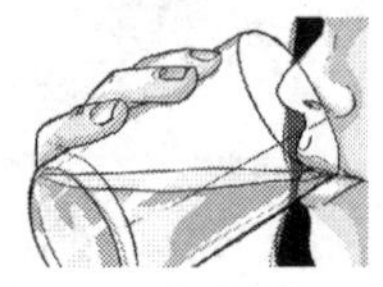

πιω

καλά / υγιής
well / healthy

άρρωστος / ασθενής

γιατρό

Ασκληπιέ
Asclepius, the god of medicine

ΗΡΑΚΛΗΣ :

Μετά τον ύπνο, εγώ **ξύπνησα**…

ΑΛΕΞΑΝΔΡΟΣ :

Ωραία, εσύ ξύπνησες, και μετά τι έγινε;

ΗΡΑΚΛΗΣ :

Μετά είδα ότι η Μεγάρα και τα παιδιά μου **είχαν ήδη σκοτωθεί**! **Κάποιος** τα σκότωσε όταν εγώ κοιμόμουν, δεν ξέρω ποιος. Καταλαβαίνεις; Αυτό έγινε, Αλέξανδρε, όχι οι **βλακείες** που λέει ο Ευριπίδης στο θέατρο. Αυτά που λέει ο Ευριπίδης στο θέατρο είναι βλακείες και μεγάλα ψέματα. Δεν είναι έτσι η αλήθεια… Πω, δεν είμαι καλά τώρα….

ΔΙΗΑΝΕΙΡΑ :

Τι έχεις άντρα μου;

ΗΡΑΚΛΗΣ :

Σου λέω, είμαι **χάλια, είμαι κομμάτια**. Αν εγώ δεν **πιω** ένα φάρμακο, δεν θα γίνω **καλά**! Πονάει το κεφάλι μου από το κρασί.

ΔΙΗΑΝΕΙΡΑ :

Καταλαβαίνω, αν εσύ δεν πιεις ένα φάρμακο, δεν θα γίνεις καλά. Τώρα είσαι δεν είσαι **υγιής**, είσαι **άρρωστος**, είσαι **ασθενής** από το κρασί.

ΗΡΑΚΛΗΣ :

Δεν μπορώ, θέλω έναν **γιατρό** εδώ και τώρα! Ω **Ασκληπιέ**, πού είσαι;

ΑΛΕΞΑΝΔΡΟΣ :

Ηρακλή, ο Ασκληπιός είναι στην **Επίδαυρο**. Αν πάμε στην Επίδαυρο, θα γίνεις καλά. Αν δεν πάμε, θα είσαι άρρωστος για πολλές **ημέρες**. Τι θα κάνουμε;

ΗΡΑΚΛΗΣ :

Εγώ λέω να πάμε στην Επίδαυρο. Αυτοί οι Αθηναίοι πίνουν πολύ κρασί. Αμάν πια! Εγώ δεν είμαι από την Αθήνα, δεν ξέρω να πίνω τόσο πολύ κρασί μέσα στο θέατρο. Πφφφφ, το κεφάλι μου πάει να **σπάσει**!

Διηάνειρα : Εγώ , Ηρακλή μου, πιστεύω ότι υπάρχει **θεραπεία** για τον πονοκέφαλό σου!

ΗΡΑΚΛΗΣ :

Υπάρχει θεραπεία για το πρόβλημά μου; Ποια είναι αυτή η θεραπεία;

ΔΙΗΑΝΕΙΡΑ :

Εγώ δεν ξέρω! Νομίζω ότι πρέπει να πάμε στο **Εγκοιμητήριο** στην Επίδαυρο, στο Ιερό του Ασκληπιού.

ΑΛΕΞΑΝΔΡΟΣ :

Ηρακλή, πρέπει να σε δει κάποιος γιατρός!

ΗΡΑΚΛΗΣ :

Γιατρός; Δηλαδή;

Επίδαυρο
Epidaurus, an ancient area where the god Asclepius was loved

Ημέρες
days

Σπάσει
break

Θεραπεία
therapy, cure

Εγκοιμητήριο
a place in the sanctuaries of Asclepius or other religious healing centers of antiquity, where patients were hypnotized, possibly under the influence of hallucinogenic substances. During sleep, patients saw prophetic visions revealing their treatment.

Θεραπευτής curer, therapist

Νοσοκομείο hospital

Κτήριο

ΑΛΕΞΑΝΔΡΟΣ :
Δηλαδή κάποιος που θα σε κάνει καλά, ένας **θεραπευτής**! Πάμε στο **Νοσοκομείο**;

ΗΡΑΚΛΗΣ :
Τι είναι το νοσοκομείο;

ΑΛΕΞΑΝΔΡΟΣ :
Το νοσοκομείο είναι ένα μεγάλο **κτήριο** και μέσα έχει γιατρούς. Εκεί, στο νοσοκομείο, πας άρρωστος και φεύγεις υγιής. Πηγαίνεις με πονοκέφαλο και όταν φεύγεις είσαι καλά, δεν έχεις πονοκέφαλο.

Ιερό του Ασκληπιού Sanctuary of Asclepius

ΔΙΗΑΝΕΙΡΑ :
Αχ, Αλέξανδρε! Λάθος κάνεις. Δεν το λένε νοσοκομείο αυτό! **Ιερό του Ασκληπιού** το λένε! Έχει και λουτρά!

Λουτρά baths

Μπάνιο

ΑΛΕΞΑΝΔΡΟΣ :
Τι **λουτρά**; Έχει **μπάνιο**;

ΔΙΗΑΝΕΙΡΑ :
Δεν έχουμε χρόνο για κουβέντες. Ηρακλή, φεύγουμε για την Επίδαυρο;

ας δώσει ο θεός may god "give" / may god help

ΗΡΑΚΛΗΣ :
Εγώ δεν μπορώ να πω πολλά! Ναι, φεύγουμε για το Ιερό του Ασκληπιού! Και **ας δώσει ο θεός** να γίνω καλά! Πάμε!

ΑΣΚΗΣΕΙΣ ΚΑΤΑΝΟΗΣΗΣ ΔΙΑΛΟΓΟΥ

COMPREHENSION EXERCISES

Άσκηση 1: True or False? / Σωστό ή Λάθος;
If there is a mistake in the sentence, write it correctly.

Σ Λ

1. **Ο Ευριπίδης σκότωσε τα παιδιά του Ηρακλή και τη γυναίκα του, τη Μεγάρα, επειδή τρελάθηκε και δεν έβλεπε μέσα στη μανία του.** ________

Αν η πρόταση είναι λάθος, γράψε τη σωστά.

2. **Ο Αλέξανδρος έχει πονοκέφαλο, επειδή ήπιε πολύ κρασί και λίγο νερό. Ο Ηρακλής είναι μια χαρά, δεν έχει πονοκέφαλο, γιατί δεν ήπιε καθόλου κρασί.** ________

Αν η πρόταση είναι λάθος, γράψε τη σωστά.

3. **Οι ιστορίες που γράφει ο Ευριπίδης στις τραγωδίες του είναι η αλήθεια του κάθε μύθου. Μερικοί λένε ότι είναι βλακείες και μεγάλα ψέματα αυτά που γράφει ο Ευριπίδης στο θέατρο. Αλλά ο αυθεντικός μύθος είναι αυτός του Ευριπίδη.** ________

Αν η πρόταση είναι λάθος, γράψε τη σωστά.

Σ Λ

4. **Το νοσοκομείο είναι ένα μεγάλο κτήριο όπου πας υγιής και φεύγεις άρρωστος. Εκεί μέσα έχει γιατρούς. Στην Ελλάδα στο νοσοκομείο δεν πληρώνεις, είναι για όλους δωρεάν. Στην Αμερική πηγαίνεις στο νοσοκομείο για να πεθάνεις.** ________

Αν η πρόταση είναι λάθος, γράψε τη σωστά.

ΑΣΚΗΣΕΙΣ ΓΙΑ ΚΟΥΒΕΝΤΑ ΔΙΑΛΟΓΟΥ

DISCUSSION EXERCISES

1. **Ποια η γνώμη σου για την ποτοαπαγόρευση; Είναι αποτελεσματική; Πώς τηρείται το μέτρο αλλιώς;**

2. **Γνωρίζεις την έκφραση "ξεροσφύρι"; Συμφωνείς ότι το αλκοόλ είναι πιο ευχάριστο όταν συνοδεύει μεζέδες ή όχι;**

3. **Πόσο συχνά πηγαίνεις στο γιατρό; Ψάχνεις συμπτώματα στο ίντερνετ ή όχι; Τι γνώμη έχεις για την υγεία; Είναι δημόσιο αγαθό ή ιδιωτική πολυτέλεια; Γιατί;**

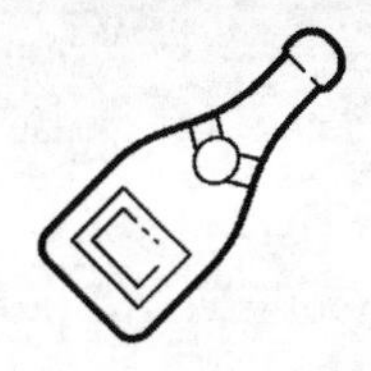

25

Ο ΓΙΑΤΡΟΣ ΘΕΡΑΠΕΥΕΙ - ΚΑΙ ΤΟ ΝΕΡΟ

ΑΛΕΞΑΝΔΡΟΣ :

Εδώ είμαστε! Αυτή είναι η Επίδαυρος! Βλέπεις το θέατρο;

ΗΡΑΚΛΗΣ :

Όχι άλλο θέατρο!!! Το κεφάλι μου! Φέρε μου τώρα έναν να με κάνει καλά! Φέρε μου τώρα έναν να με θεραπεύσει!

ΙΕΡΕΑΣ - ΙΑΤΡΟΣ :

Καλησπέρα σας! Μπορώ να σας βοηθήσω;

ΔΙΗΑΝΕΙΡΑ :

Ναι, γεια σας! Ήρθαμε για τον άντρα μου, τον Ηρακλή! Είναι ημίθεος, αλλά έχει έναν **τρομερό** πονοκέφαλο!

Τρομερό
terrible

ΗΡΑΚΛΗΣ :

Γιατρέ, δεν είμαι καλά! Το κεφάλι μου πάει να σπάσει.

Μήπως
perhaps
Περίεργο
strange
Τελευταίες
latter , last

ΙΕΡΕΑΣ - ΙΑΤΡΟΣ :
Μάλιστα, καταλαβαίνω. **Μήπως** κύριε κάνατε κάτι **περίεργο** τις **τελευταίες** ημέρες;

ΗΡΑΚΛΗΣ :
Εγώ; Εγώ δεν έκανα κάτι περίεργο. Εμ, κοίταξε, γιατρέ μου. Χθες στην Αθήνα είχανε τα Διονύσια. Μεγάλη **γιορτή**, πήγαμε στο θέατρο, είδαμε και μία παράσταση. Το έργο ήταν κακό. Αλλά το κρασί ήταν πιο κακό! Το κρασί ήταν **χειρότερο**! Αυτό έκανα : ήπια πολύ κρασί και μετά **έπαθα** αυτόν τον πονοκέφαλο.

Γιορτή
festivity

Χειρότερο
worse
Έπαθα
suffered
Περίπτωση
case
Χάνγκοβερ
hangover
Νοσοκόμα
nurse

ΙΕΡΕΑΣ - ΙΑΤΡΟΣ :
Μάλιστα. Κλασική **περίπτωση χάνγκοβερ**. **Νοσοκόμα**, δώσε μου σε παρακαλώ ένα **θερμόμετρο**.

ΝΟΣΟΚΟΜΑ :
Ορίστε, γιατρέ. Το θερμόμετρό σας.

Θερμόμετρο

Θερμοκρασία
temperature

ΙΕΡΕΑΣ - ΙΑΤΡΟΣ :
Για να δούμε. Τι **θερμοκρασία** έχεις κύριε Ηρακλή; Μήπως έχεις **πυρετό**;

Πυρετό

Ζεσταίνομαι
feel warm

ΗΡΑΚΛΗΣ :
Δεν έχω πυρετό! Δεν **ζεσταίνομαι**. Το κεφάλι μου πονάει!

ΑΛΕΞΑΝΔΡΟΣ :

Γιατρέ, ο Ηρακλής…

ΙΕΡΕΑΣ - ΙΑΤΡΟΣ :

Ιερέας του Ασκληπιού, παρακαλώ! Όχι ιατρός! Ιατρός είναι μόνον ο θεός Ασκληπιός!!!

Ιερέας του Ασκληπιού
priest of Asclepius

ΑΛΕΞΑΝΔΡΟΣ :

Μάλιστα, κύριε Ιερέα, ο Ηρακλής δεν ήπιε νερό. Ήπιε μόνον κρασί. Πιστεύω ότι για αυτό έχει πονοκέφαλο σήμερα.

ΙΕΡΕΑΣ - ΙΑΤΡΟΣ :

Μπορώ εγώ να πάρω το **ιστορικό** παρακαλώ; Εγώ τη **δουλειά** μου, εσύ τη δουλειά σου, μικρέ! Κύριε Ηρακλή, πες μου, σε παρακαλώ. Τι **έφαγες χθες**;

Ιστορικό
history
(of the patient)

Δουλειά
job

Έφαγες
have you eaten

Χθες
yesterday

ΗΡΑΚΛΗΣ :

Εγώ χθες δεν έφαγα τίποτε. Ήπια μόνον, ήπια πολύ κρασί. Λέει την αλήθεια ο μικρός.

ΙΕΡΕΑΣ - ΙΑΤΡΟΣ :

Μάλιστα, μάλιστα. Καταλαβαίνω. Έχετε **πάθει αφυδάτωση.** Θα πιείτε **νερό**, πολύ πολύ νερό και θα πάτε για ύπνο.

πάθει
have suffered

Αφυδάτωση
dehydration

Νερό

ΗΡΑΚΛΗΣ :

Εγώ; Εγώ θα πάω για ύπνο; Μα εγώ είμαι ημίθεος! Δεν κοιμάμαι εγώ!

ΙΕΡΕΑΣ - ΙΑΤΡΟΣ :

Όχι, κύριε Ηρακλή. Αυτό που σου λέω εγώ. Πήγαινε τώρα για ύπνο, στο Εγκοιμητήριο. Στο όνειρο ίσως έρθει ο Ασκληπιός και σου πει τι πρέπει να κάνεις. Ύπνο τώρα!

ΗΡΑΚΛΗΣ :

Δεν μπορώ να κάνω και πολλά άλλα. Αφού το λέει ο θεός Ασκληπιός, αυτό θα κάνω. Θα πάω για ύπνο. Εσείς, Διηάνειρα και Αλέξανδρε, πηγαίνετε μία βόλτα και τα λέμε πάλι όταν ξυπνήσω. Καληνύχτα σας.

Όνειρα
dreams

Γλυκά
sweet

Ύπνο

Ξεκούραση
rest

Ξημέρωμα
dawn

ΔΙΗΑΝΕΙΡΑ :

Καληνύχτα, Ηρακλή μου. **Όνειρα γλυκά**!

ΑΛΕΞΑΝΔΡΟΣ :

Καλόν **ύπνο**, Ηρακλή. Καλή **ξεκούραση** και καλό σου **ξημέρωμα**!

ΑΣΚΗΣΕΙΣ ΚΑΤΑΝΟΗΣΗΣ ΔΙΑΛΟΓΟΥ

COMPREHENSION EXERCISES

1. **Ο Ηρακλής έχει πονοκέφαλο επειδή :**

   α) είδε ένα πολύ κακό έργο του Ευριπίδη στο θέατρο.

   β) ήπιε πολύ νερό στο θέατρο και έπαθε ενυδάτωση.

   γ) ήπιε πολύ κρασί και κακό κρασί στο θέατρο και έπαθε αφυδάτωση.

   δ) είδε ένα κακό όνειρο στον ύπνο του.

2. **Ο Ιερέας του Ασκληπιού ζητάει ένα θερμόμετρο επειδή θέλει να μάθει**

   α) πόσο ήπιε ο Ηρακλής.

   β) πόσο θερμοκρασία έχει ο Ηρακλής.

   γ) πόσο θερμοκρασία έχει το κρασί.

   δ) πόσο θερμοκρασία έχει η ατμόσφαιρα.

3. **Ο Ηρακλής στον διάλογο :**

   α) επειδή είναι ημίθεος, δεν θέλει ύπνο.

   β) επειδή είναι ημίθεος, δεν κοιμάται.

   γ) αν και είναι ημίθεος, θέλει ύπνο.

   δ) αν και είναι ημίθεος, δεν θέλει ύπνο.

4. **Στην Επίδαυρο τον Ηρακλή θεραπεύει :**

   α) ένας ιερέας.

   β) ένας ιατρός και ιερέας.

   γ) το πολύ νερό.

   δ) το πολύ κρασί.

ΑΣΚΗΣΕΙΣ ΓΙΑ ΚΟΥΒΕΝΤΑ ΔΙΑΛΟΓΟΥ

DISCUSSION EXERCISES

1. **Πόσες φορές βρήκες λύση τον ύπνο σου για κάποιο πρόβλημα;**

2. **Πιστεύεις στα όνειρα; Πιστεύεις στην ψυχαναλυτική ερμηνεία των ονείρων; Ή είναι απλή φαντασία για σένα; Γιατί;**

3. **Πώς συνηθίζεις να γιορτάζεις; Κάθε πότε;**

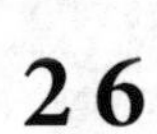

26

Ο ΗΡΑΚΛΗΣ ΣΥΝΕΡΧΕΤΑΙ

ΔΙΗΑΝΕΙΡΑ :

Ηρακλάκοοοο! Ηρακλή! Καλημέρα! Ξύπνα, ξύπνα βρε Ηρακλή! Έχει **ξημερώσει**!

Ξημερώσει

ΗΡΑΚΛΗΣ :

Πωωωω, ξημέρωσε ήδη; Είναι ήδη πρωί; Αααααχ!

*(Ο Ηρακλής κάνει **ήχους ξυπνήματος** και **τεντώνεται**)*

ήχους ξυπνήματος waking up sounds

τεντώνεται

ΔΙΗΑΝΕΙΡΑ :

Ναι, ξημέρωσε!

ΑΛΕΞΑΝΔΡΟΣ :

Είναι **σχεδόν μεσημέρι** Ηρακλή! Ξέρεις πόσες **ώρες** κοιμάσαι;

σχεδόν almost

μεσημέρι

ώρες hours

ΗΡΑΚΛΗΣ :

Είναι μεσημέρι; Πω πω πω, μα τον Δία! Πόσες ώρες κοιμάμαι εγώ;

ΔΙΗΑΝΕΙΡΑ :

Από χθες το απόγευμα! Λίγο **πριν** πέσει ο ήλιος, εσύ κοιμήθηκες. Και τώρα ο ήλιος είναι σχεδόν **στην μέση** του ουρανού, άρα είναι **περίπου** μεσημέρι!

Από
since, from
Πριν
before
στην Μέση
in the middle
περίπου
about

ΗΡΑΚΛΗΣ :

Ωρέ μπράβο μου! Κοιμήθηκα **βαριά**…

Ωρέ
hooray

ΔΙΗΑΝΕΙΡΑ :

Πώς είσαι τώρα Ηρακλή μου; Είσαι **καλύτερα** από χθες;

Βαριά
heavily, deeply
Καλύτερα
better

ΗΡΑΚΛΗΣ :

Τώρα είμαι καλύτερα από χθες. Ναι. Αισθάνομαι το κεφάλι μου **ελαφρύ**. Τώρα εγώ δεν πονάω, χθες εγώ πονούσα όλη την ημέρα πάρα πολύ.

Ελαφρύ
low-fat

ΑΛΕΞΑΝΔΡΟΣ :

Ηρακλή, ξέρεις γιατί πονούσες εσύ χθες; Κατάλαβες γιατί πονούσες στο κεφάλι;

ΗΡΑΚΛΗΣ :

Φυσικά και κατάλαβα, Αλέξανδρε! Χθες εγώ πονούσα γιατί ήπια πολύ κρασί. Σήμερα δεν πονάω στο κεφάλι, γιατί ήπια πολύ νερό και κοιμήθηκα.

Φυσικά
naturally / of course

ΔΙΗΑΝΕΙΡΑ :

Είδες κανένα καλό όνειρο, Ηρακλή μου;

ΗΡΑΚΛΗΣ :

Ναι, είδα! Είδα τον Ασκληπιό στο όνειρό μου!

ΑΛΕΞΑΝΔΡΟΣ :

Σοβαρά; Εσύ είδες τον Ασκληπιό; Και τι σου είπε αυτός;

Σοβαρά
seriously

ΗΡΑΚΛΗΣ :

Ο θεός Ασκληπιός μου είπε "Ηρακλή, εσύ πίνε λιγότερο κρασί! Εσύ πίνε περισσότερο νερό! Και όταν θα είσαι καλά, πήγαινε και κάνε τον άθλο που σου ζήτησε ο Ευρυσθέας. Πήγαινε και φέρε τον Ερυμάνθιο Κάπρο! Τον Κάπρο από τον Ερύμανθο!"
Αυτά μου είπε ο Ασκηλπιός και μετά έφυγε.

ΑΛΕΞΑΝΔΡΟΣ :

Μπράβο σου, Ηρακλή! Εσύ είσαι πολύ **τυχερός** που είδες ολόκληρο θεό στον ύπνο σου!

Τυχερός
lucky

Συγγενείς
relatives

Ίδια
same

Οικογένεια

ΗΡΑΚΛΗΣ :

Αλέξανδρε! Σιγά! Μην ξεχνάς ότι εγώ είμαι ημίθεος! Δηλαδή, εγώ και ο Ασκληπιός είμαστε **συγγενείς**, είμαστε από την **ίδια οικογένεια**!

ΑΛΕΞΑΝΔΡΟΣ :

Δίκιο έχεις, Ηρακλή. Και τώρα; Τι θα κάνουμε τώρα;

Δίκιο
right, correct

ΗΡΑΚΛΗΣ :

Εγώ λέω να φύγουμε. Λέω να ξεκινήσουμε για τον Ερυμάνθιο Κάπρο! Με αυτά και με αυτά, με το Εγκοιμητήριο και την Επίδαυρο **έχουμε καθυστερήσει**. Έχουμε **αργήσει** πολύ! Πρέπει να φύγουμε, **πρέπει** να πάμε να κάνουμε τον επόμενο άθλο μου! Εσείς είστε **έτοιμοι**;

έχουμε Καθυστερήσει
we are delayed

αργήσει
it's late

Πρέπει
must

Έτοιμοι
ready

ΔΙΗΑΝΕΙΡΑ :

Εγώ είμαι έτοιμη, Ηρακλή μου!

ΑΛΕΞΑΝΔΡΟΣ :

Και εγώ έτοιμος είμαι! Πάμε!

ΗΡΑΚΛΗΣ :

Ωραία! **Εμπρός** για το **βουνό** Ερύμανθος φίλοι μου! Φεύγουμε!

Ωραία
fine

Εμπρός
ahead we go

Βουνό

ΑΣΚΗΣΕΙΣ ΚΑΤΑΝΟΗΣΗΣ ΔΙΑΛΟΓΟΥ

COMPREHENSION EXERCISES

1. **Τώρα είναι μεσημέρι. Ο Ηρακλής κοιμάται από χθες το απόγευμα. Άρα :**

   α) Ο Ηρακλής κοιμάται δύο ημέρες τώρα.

   β) Ο Ηρακλής κοιμάται ήδη μια ημέρα και μερικές ώρες.

   γ) Ο Ηρακλής κοιμάται τρεις ημέρες τώρα.

   δ) Ο Ηρακλής κοιμάται ήδη δύο ημερες και μερικές ώρες.

2. **Τελικά ο Ηρακλής έπαθε πονοκέφαλο επειδή:**

   α) είδε πολλές ώρες τηλεόραση.

   β) είδε πολλές ώρες θέατρο.

   γ) ήπιε πολύ κρασί.

   δ) ήπιε πολύ νερό.

3. **Ο θεός Ασκληπιός στον διάλογο θεραπεύει τον Ηρακλή όπως οι άλλοι θεοί, η Παναγία αλλά και ο θεός Kumugwe των Γηγενών Αμερικάνων, και η Ιξέλ των Μάγια. Ποιο είναι το μαγικό φίλτρο του Ασκληπιού;**

   α) ένα ειδικό φάρμακο, από βότανα.

   β) ένα μαγικό φάρμακο, μείξη πολλών φαρμάκων.

   γ) περισσότερο νερό.

   δ) περισσότερο κρασί.

4. **Στο τέλος του διαλόγου οι ήρωες φεύγουν για :**

α) τις Μυκήνες.

β) το βουνό Ερύμανθος, εκεί είναι ο Ερυμάνθιος Κάπρος.

γ) το βουνό Κάπρος, εκεί είναι ο Ερυμάνθιος Κάπρος.

δ) την Επίδαυρο.

ΑΣΚΗΣΕΙΣ ΓΙΑ ΚΟΥΒΕΝΤΑ ΔΙΑΛΟΓΟΥ

DISCUSSION EXERCISES

1. **Μια πολύ διαδεδομένη πρακτική είναι εκείνη των μέντιουμ (psychic) που προβλέπουν το μέλλον ή και το αλλάζουν. Τι γνώμη έχεις εσύ για την παραψυχολογία και τα μεταφυσικά / ανεξήγητα φαινόμενα;**

2. **Πολλοί λένε ότι ο ηλεκτρισμός, ο θόρυβος και τα φώτα καταστρέφουν την υγεία του ύπνου για τον άνθρωπο. Ο σύγχρονος τρόπος ζωής δίνει χρόνο για σωστό ύπνο κατά τη γνώμη σου;**

27

ΤΟ ΓΡΑΜΜΑ ΤΗΣ ΚΑΡΥΑΤΙΔΑΣ ΑΠΟ ΤΗΝ ΠΡΟΣΦΥΓΙΑ

Ο Ηρακλής συζητάει με τη Διηάνειρα για τον Ερυμάνθιο Κάπρο και τον Κέρβερο.

ΔΙΗΑΝΕΙΡΑ :

Ηρακλή μου εσύ! Ηρακλάρα μου! Τι **μπράτσα** είναι αυτά! Τι δύναμη! Πες μου, πώς τα κατάφερες με αυτό το **τρικέφαλο σκυλί**, τον **άγριο Κέρβερο**;

ΗΡΑΚΛΗΣ :

Τελικά ο **αδερφός** σου ο Μελέαγρος είχε δίκιο. Είσαι μια κούκλα! Θα είσαι η γυναίκα μου, εντάξει; **Θα παντρευτούμε. Θα κάνουμε παιδιά**. Θέλεις να παντρευτούμε;

Κέρβερος

Μπράτσα

Τρικέφαλο
three-headed

Σκυλί

Άγριο
wild, fierceful

Τελικά
finally, eventually

Αδερφός
brother

Θα παντρευτούμε
we shall marry

Θα κάνουμε παιδιά
we shall have children

Όμορφος
handsome

Κατάφερες
manage

ΔΙΗΑΝΕΙΡΑ :

Θέλω! Είσαι τόσο δυνατός, τόσο **όμορφος**! Αλλά πες μου, πώς τα **κατάφερες** με τον Κέρβερο;

ΑΛΕΞΑΝΔΡΟΣ :

Κυρία Διηάνειρα, να σου πω εγώ; Ο Ηρακλής έκανε τα ίδια που έκανε και με τον άγριο Ερυμάνθιο Κάπρο. Τον έδεσε!

Δηλαδή
meaning

Απλά
simple

Πράγματα
things

Μαύρα
black

Γαύγιζε
barking

Ούρλιαζε
howling

Αγρίως
wildly

έσφιξα
tightened up

Αλυσίδες

Παλιές
old

Ιστορίες
stories

ΔΙΗΑΝΕΙΡΑ:

Δηλαδή;

ΗΡΑΚΛΗ :

Ε να, **απλά πράγματα**. Πήγα κοντά στο σκυλί. Είδα τα **μαύρα** του κεφάλια. Άκουσα πώς **γαύγιζε** και **ούρλιαζε αγρίως**. Με τα χέρια μου άρπαξα το μαύρο σκυλί και **έσφιξα** δυνατά τους λαιμούς του. Πήρα **αλυσίδες** και έδεσα όλους τους λαιμούς μαζί. Μετά έφερα το σκυλί μπροστά στον Ευρυσθέα και αυτός φοβήθηκε.

ΑΛΕΞΑΝΔΡΟΣ :

Ακριβώς όπως φοβήθηκε και όταν του έφερες τον Ερυμάνθιο Κάπρο. Ο Ευρυσθέας κρύφτηκε αμέσως σε ένα πιθάρι. Αλλά τι να λέμε τώρα; **Παλιές ιστορίες** είναι αυτές, άθλοι. Τώρα ο Ηρακλής θα παντρευτεί. Τέλος αυτά.

ΔΙΗΑΝΕΙΡΑ :

Τέλος! Δεν μου αρέσει ο άντρας μου να μην κάνει άλλους άθλους. Έχω μία φίλη. Αυτή η φίλη μου είναι πολύ **στενοχωρημένη**.

Στενοχωρημένη
upset, sad

Καρυάτιδα

ΗΡΑΚΛΗΣ :

Στενοχωρημένη; Γιατί είναι στενοχωρημένη; Τι έχει αυτή η φίλη σου;

ΔΙΗΑΝΕΙΡΑ :

Την λένε **Καρυάτιδα**. Είναι πολύ **λυγερόκορμη** και όμορφη.

Λυγερόκορμη
with a beautiful body

ΗΡΑΚΛΗΣ :

Από πού είναι αυτή η φίλη σου, Διηάνειρα;

ΔΙΗΑΝΕΙΡΑ :

Από τις **Καρυές**, μια πόλη κοντά στη Σπάρτη.

Καρυές
Karyes, a city near Sparta

ΗΡΑΚΛΗΣ :

Και ποιο είναι το πρόβλημά της; Γιατί είναι λυπημένη;

Της λείπει
homesick

Πατρίδα
home country

ΔΙΗΑΝΕΙΡΑ :

Αχ Ηρακλή μου, πού να σου τα λέω.... Δεν αντέχει τον καιρό εκεί που βρίσκεται. **Της λείπει** η **πατρίδα** της, το **σπίτι** της, η οικογένειά της, οι **αδερφές** της. Μου έστειλε μέιλ πριν μία **εβδομάδα**. Θέλεις να σου το διαβάσω;

Σπίτι

Αδερφές
sisters

Εβδομάδα
week

ΗΡΑΚΛΗΣ :

Μέιλ; Τι είναι αυτό;

ΔΙΗΑΝΕΙΡΑ:

Γράμμα, ηλεκτρονικό γράμμα είναι. Να σου το **διαβάσω**;

ΗΡΑΚΛΗΣ :

Ναι, διάβασέ το μου, σε παρακαλώ.

ΔΙΗΑΝΕΙΡΑ:

Άκου. Λοιπόν

"*Αγαπημένη μου φίλη. Σήμερα αισθάνομαι χάλια. Εδώ, στο* ***Βρετανικό Μουσείο*** *ο* ***καιρός*** *είναι άθλιος. Κάθε μέρα* ***βρέχει****. Δεν βλέπεις* ***αχτίδα ηλίου. Ο ουρανός*** *είναι* ***συνεχώς μουντός*** *και* ***κοντεύω να τρελαθώ.***

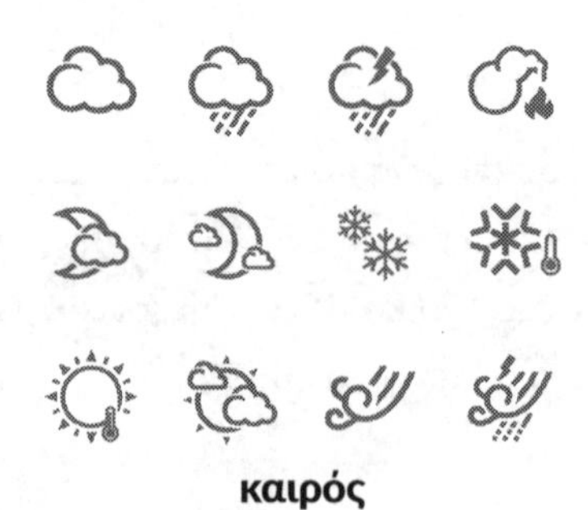

καιρός

Γράμμα

Ηλεκτρονικό
electronic

Διαβάσω

Βρετανικό Μουσείο
British Museum

Βρέχει

Αχτίδα
ray

Ηλίου
of the sun

Ουρανός
sky

Συνεχώς
continuously

Μουντός
hazy

κοντεύω
I am about to become

να τρελαθώ
to be crazy

*Έχω πάρα πολλά **νεύρα. Όλα μου φταίνε, όλα μου πάνε ανάποδα.** Θέλω να βγω έξω, στο **Πάρκο,** να παίξω με τα άλλα **κορίτσια**. Γιατί εδώ, μέσα στο Βρετανικό Μουσείο είμαι **μόνη** μου, **ολομόναχη**. Δεν έχω **παρέα**. Μόνο **περίεργους τουρίστες** έχω, οι οποίοι βγάζουν **σέλφι** και φωτογραφίες με τα **κινητά** τους και μετά πάλι φεύγουν. Με **ενοχλούν** αυτοί οι τουρίστες.*

νεύρα
nerves

Όλα μου φταίνε
I blame it on everything

όλα μου πάνε ανάποδα
everything is going wrong

κορίτσια
girls

μόνη
by myself, alone

ολομόναχη
all alone

παρέα
company

περίεργους
curious, strange

τουρίστες
tourists

ενοχλούν
annoy

Πάρκο

σέλφι

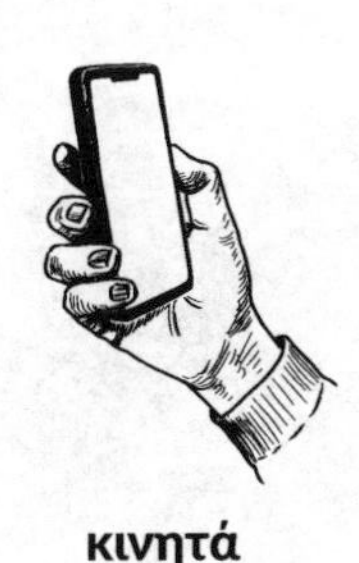

κινητά

Παίξω
play
Έδαφος
ground
Λάσπη
mud

Ερέχθειο
Erechtheion, an ancient temple on the north side of the Acropolis

Σκοπό
purpose
Σκέτος
plain
Άσχημος
ugly
Τσιμεντένιος
made of concrete

Φτιαγμένη για
made with the purpose of

Μάρμαρο
marble
Νόημα
purpose
ελεύθερα
free

Τι να κάνω κι εγώ; Βγαίνω έξω, στο πάρκο, για να ***παίξω****. Μα έχει βροχή. Το* ***έδαφος*** *είναι γεμάτο* ***λάσπη****. Ο καιρός είναι χάλια και οι άνθρωποι εδώ είναι χάλια. Μου λείπει το σπίτι μου στις Καρυές. Μου λείπει εκείνο το* ***μπαλκόνι****, στο* ***Ερέχθειο****, με τις αδερφές μου τις άλλες Καρυάτιδες. Εκεί, στην Ακρόπολη, είχα έναν* ***σκοπό****. Κρατούσα στο κεφάλι μου το Ναό του Ερεχθέα, το Ερέχθειο. Εδώ, στο Βρετανικό Μουσείο δεν έχω κανέναν σκοπό. Πάνω από το κεφάλι μου βρίσκεται ένας* ***σκέτος τοίχος****,* ***άσχημος*** *και* ***τσιμεντένιος****. Ενώ εγώ είμαι* ***φτιαγμένη για*** *να κρατάω όμορφο, λευκό* ***μάρμαρο****. Τι κάνω εδώ; Η ζωή μου δεν έχει* ***νόημα****. Κανονικά, Διηάνειρά μου, ξέρεις, εγώ είμαι φτιαγμένη για να έχω τα* ***χέρια*** *μου* ***ελεύθερα****. Εδώ τα χέρια μου είναι* ***δεμένα****.*

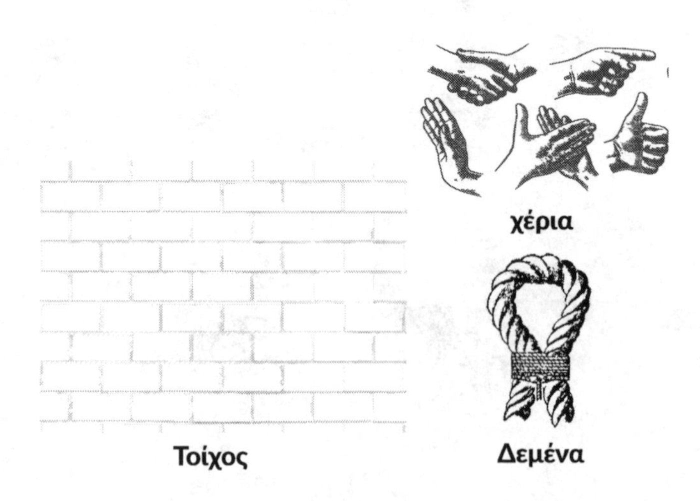

*Φοράω τα απλά μου ρούχα, τον **πέπλο** και τον χιτώνα μου, με την **μεσογειακή** μου **κορμοστασιά**, αλλά κανείς δεν με καταλαβαίνει εδώ. **Μελαγχολώ** πάρα πολύ, **λυπάμαι** και **κλαίω** κάθε μέρα, χωρίς λόγο και αιτία.*

*Το **λυγερό** μου **κορμί ματαίως** στέκεται εδώ. Ώρες ώρες τόσο που θλίβομαι, **εκνευρίζομαι** και θέλω να **σκίσω** τα ρούχα μου τα λευκά, θέλω να **λύσω** τα χέρια μου και να αρχίσω να **χορεύω** με όλους τους τουρίστες που έρχονται και με **κοιτάνε** εδώ στο Βρετανικό Μουσείο. Δεν **αντέχω**, σου λέω.*

Πέπλο
veil

Μεσογειακή
Mediterranean

Κορμοστασιά
bearing

Μελαγχολώ
I sulk,
I am saddened

Λυπάμαι
I feel sorry

Λυγερό
straight up

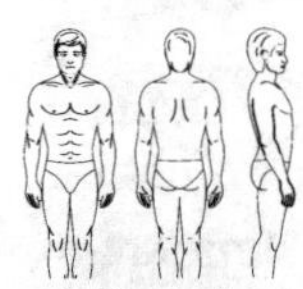

Κορμί

Ματαίως
in vain

Εκνευρίζομαι
I get my nerves

Σκίσω
rip off

Λύσω
untie

Κοιτάνε
watch me

Αντέχω
cope with

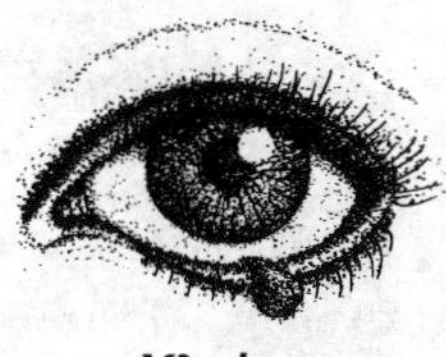

Κλαίω

χορεύω

Κρύο
cold
Ζέστη
warm
Θέα
view
Κλέψανε
have stolen
Κινηθώ
to move
Φύγω
to leave
Ξεχνάω
forget
Θύμα
victim
Παράλογης
insane
Απαγωγής
kidnapping
Πατρίδα
home country
Ανήκω
I belong
Επιστρέψω
return
Φιλοξενία
hospitality
Γεννήθηκα
I was born
Μεγάλωσα
I was raised

Πεθάνω

Είμαι μία ξένη εδώ. Η ξενιτειά με πονάει. Εδώ στο Λονδίνο έχει πάντα συννεφιά, δεν έχει ποτέ ήλιο. Εδώ στο Λονδίνο έχει πάντα ***κρύο****, δεν έχει ποτέ* ***ζέστη****. Στο σπίτι μου, στην πατρίδα μου, έχει ωραίο καιρό και ζέστη. Και η* ***θέα****! Τι όμορφη θέα εκεί πάνω στην Ακρόπολη! Είμαι σίγουρη ότι και στην Ακρόπολη έχει τουρίστες! Αλλά εκεί, από την Ακρόπολη. Αχ… Εκεί, στην Ακρόπολη έχω την ησυχία μου. Αχ… Βλέπεις μέχρι τη θάλασσα, κάτω, στον Πειραιά, τα καράβια να έρχονται και να φεύγουν. Εδώ τι βλέπω απέναντί μου; Έναν τοίχο. Ένα ντουβάρι. Με ρώτησε κανείς αν θέλω να είμαι εδώ; Με ρώτησε κανείς αν θέλω να φύγω από την Ελλάδα; Όχι, κανείς δεν με ρώτησε. Με* ***κλέψανε*** *με τη βία. Ο ξεριζωμός μου, από τα χώματά μου, με πονάει. Θέλω να* ***κινηθώ****. Θέλω να* ***φύγω****. Τα νεύρα μου, Διηάνειρά μου, σου λέω, δεν είμαι καλά. Δεν αντέχω άλλο.* ***Ξεχνάω*** *τη γλώσσα μου. Ξεχνάω τα ελληνικά μου. Είμαι το* ***θύμα*** *μίας* ***παράλογης απαγωγής****. Με απήγαγαν, με πήρανε και έφυγα από την Ελλάδα σαν τον δραπέτη, σαν τον φυγά, δίχως να το θέλω. Στενοχωριέμαι, πάω να σκάσω. Πώς θα γίνει να γυρίσω πίσω στην* ***πατρίδα*** *μου, στην Αθήνα, όπου* ***ανήκω****; Ξέρεις κάποιον καλό ήρωα, με δύναμη, να με φέρει πίσω; Θέλω οπωσδήποτε να* ***επιστρέψω*** *στην Ελλάδα. Θέλω να γυρίσω πίσω στην πατρίδα μου. Δεν έχει Ξένιο Δία εδώ στο Βρετανικό Μουσείο. Δεν έχει* ***φιλοξενία*** *και αγάπη προς τους ξένους, όπως στην Ελλάδα. Εκεί* ***γεννήθηκα****, εκεί* ***μεγάλωσα****, εκεί θέλω να ζήσω και να* ***πεθάνω****. Σε παρακαλώ, γράψε μου το*

συντομότερο *δυνατόν. Κοντεύω να τρελαθώ εδώ.*

Συντομότερο
sooner

Φιλάκια,

Κάρυ"

Λοιπόν, τι θα κάνεις Ηρακλή μου; Θα πας να την βοηθήσεις;

ΑΛΕΞΑΝΔΡΟΣ :

Ναι, κυρία Διηάνειρα! Την ξέρω αυτή την ιστορία. Η Καρυάτιδα που έκλεψαν και την πήγαν στο Λονδίνο. Τι θέλετε να κάνουμε;

ΗΡΑΚΛΗΣ :

Ξέρω εγώ τι θα κάνουμε! Θα πάρουμε ένα πλοίο, μία **τριήρη**, και θα πάμε να φέρουμε πίσω την φίλη σου την Καρυάτιδα, την Κάρυ. Αλέξανδρε, είσαι έτοιμος;

τριήρη
trireme, an ancient rowing warship

ΑΛΕΞΑΝΔΡΟΣ :

Ηρακλή, εγώ είμαι πάντα έτοιμος. Αλλά ξέρω ότι εσύ έκανες δώδεκα άθλους, όχι δεκατρείς. Και ξέρω ότι μετά τον άθλο με τον Κέρβερο εσύ πήρες **σύνταξη**.

Σύνταξη
pension

ΗΡΑΚΛΗΣ :

Δηλαδή; Τι σημαίνει πήρα σύνταξη;

ΑΛΕΞΑΝΔΡΟΣ :

Σημαίνει ότι σταμάτησες να δουλεύεις, σταμάτησες να κάνεις άθλους και παντρεύτηκες τη Διηάνειρα. Και ζήσατε εσείς καλά κι εμείς καλύτερα.

ΗΡΑΚΛΗΣ :

Καθήκον
duty

Ναι, αλλά εδώ έχουμε καθήκον! Το **καθήκον** μας καλεί! Πρέπει να πάμε να βοηθήσουμε την Καρυάτιδα.

ΔΙΗΑΝΕΙΡΑ :

Ναι, Ηρακλή μου, πρέπει να πάτε. Εγώ θα σας περιμένω εδώ.

ΗΡΑΚΛΗΣ :

Πάμε λοιπόν, Αλέξανδρε;

ΑΛΕΞΑΝΔΡΟΣ :

Λιμάνι

Πάμε, κύριε Ηρακλή. Αυτός ο άθλος μου φαίνεται λίγο τρελός, αλλά πάμε, τι να κάνουμε;....Φεύγουν για το **λιμάνι**.

ΑΣΚΗΣΕΙΣ ΚΑΤΑΝΟΗΣΗΣ ΔΙΑΛΟΓΟΥ

COMPREHENSION EXERCISES

Άσκηση 1: True or False? / Σωστό ή Λάθος;

If there is a mistake in the sentence, write it correctly.

Σ Λ

1. **Ο Ηρακλής έδεσε τον Κέρβερο με άγριο τρόπο. Πήγε κοντά στο σκυλί. Είδε τα μαύρα του κεφάλια. Με τα χέρια μου άρπαξε το μαύρο σκυλί και έσφιξε δυνατά τα πόδια του σκυλιού. Πήρε αλυσίδες και έδεσε όλα τα πόδια μαζί.** ________

Αν η πρόταση είναι λάθος, γράψε τη σωστά.

2. **Η Καρυάτιδα γκρινιάζει στο γράμμα της στην Διηάνειρα. Το κύριο πρόβλημά της είναι ότι έχει χάλια καιρό και κρύο και δεν μπορεί να παίξει με τις φίλες της στο πάρκο.** ________

Αν η πρόταση είναι λάθος, γράψε τη σωστά.

3. **Η Καρυάτιδα θέλει να πάει στην Ακρόπολη. Εκεί είναι ήσυχα, δεν έχει πολύ κόσμο και δεν έχει τουρίστες, κατά τη γνώμη της.** ________

Αν η πρόταση είναι λάθος, γράψε τη σωστά.

4. **Η Διηάνειρα είναι δυναμική, θέλει να ακολουθήσει τον Ηρακλή στο ταξίδι του στο Βρετανικό Μουσείο.** ________

Αν η πρόταση είναι λάθος, γράψε τη σωστά.

ΑΣΚΗΣΕΙΣ ΓΙΑ ΚΟΥΒΕΝΤΑ ΔΙΑΛΟΓΟΥ

DISCUSSION EXERCISES

1. **Η Καρυάτιδα στο γράμμα της πιστεύει ότι ζει στην ξενιτειά, δηλαδή μακριά από την πατρίδα της. Τι είναι πατρίδα για σένα; Τι είναι έθνος; Υπήρχαν πάντα έθνη όπως τα ξέρουμε σήμερα κατά τη γνώμη σου;**

2. **Η Διηάνειρα δείχνει να μην έχει ιδιαίτερη γνώμη για όσα κάνει ο Ηρακλής. Πιστεύεις ότι η γυναίκα σήμερα είναι δίκαιο να φέρεται όπως η Διηάνειρα;**

3. **Τι γνώμη έχει για τον Τουρισμό και τη σχέση του με τον πολιτισμό κάθε περιοχής; Είναι λογικό να ζητάμε κάθε κουζίνα σε κάθε περιοχή ανά πάσα στιγμή; Αυτό χαλάει ή ωφελεί τον χαρακτήρα κάθε περιοχής κατά τη γνώμη σου; Για παράδειγμα, έχει θέση ένα εξωτικό εστιατόριο μα ανατολικές ή δυτικές κουζίνες σε ένα νησί της Μεσογείου;**

28
Ο ΗΡΑΚΛΗΣ ΚΑΙ Ο ΑΛΕΞΑΝΔΡΟΣ ΣΤΟ ΛΟΝΔΙΝΟ

μετρό

Έξω από το **Μετρό** του Λονδίνου

ΗΡΑΚΛΗΣ :

Αλέξανδρε, έχει πολύ κρύο εδώ πέρα. Έχει δίκιο η Καρυάτιδα να παραπονιέται για τον καιρό.

ΑΛΕΞΑΝΔΡΟΣ :

Φυσικά και έχει κρύο, Ηρακλή! Στην Αγγλία είμαστε! Εδώ τον μισό χρόνο βρέχει! Και εσύ φοράς μία λεοντή μονάχα. Τι να σου κάνει; Κρυώνεις;

ΗΡΑΚΛΗΣ :

Ναι, κρυώνω! Είναι μακριά ακόμη αυτό το… Βρετανικό Μουσείο;

ΑΛΕΞΑΝΔΡΟΣ :

Όχι, όχι, εδώ κοντά είναι. Θα πάρουμε το μετρό και φτάσαμε.

ΗΡΑΚΛΗΣ :

Το μετρό; Δηλαδή;

Τρένο

ΑΛΕΞΑΝΔΡΟΣ :

Δηλαδή το **τρένο**. Περίμενε και θα δεις.

(ήχος μετρό Λονδίνου - Έξω από το Βρετανικό Μουσείο)

ΑΛΕΞΑΝΔΡΟΣ :

Φτάσαμε. Εδώ είμαστε. Το Βρετανικό Μουσείο!

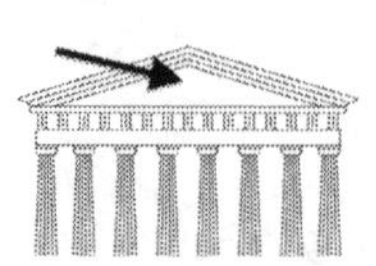

Αέτωμα
pediment

ΗΡΑΚΛΗΣ :

Μα τον Δία, τι βλέπω! Στο **αέτωμα**, εκεί ψηλά, **ο Δίας** ο Πατέρας και οι άλλοι θεοί! Ναός είναι αυτό;

ο Δίας

ΑΛΕΞΑΝΔΡΟΣ :

Όχι, Ηρακλή. Είναι το Βρετανικό Μουσείο. Απλώς απ' έξω μοιάζει με ναό. Λοιπόν, πάμε, εκεί, αριστερά, στην **αίθουσα** με τα ελληνικά **ευρήματα**.

αίθουσα
room

ευρήματα
findings

ΗΡΑΚΛΗΣ :

Τι βλέπω; Πολύ κόσμος είναι **μαζεμένος** εκεί μέσα! Και ακούω μουσική! Τι περίεργη μουσική είναι αυτή; Αλέξανδρε, τι συμβαίνει;

μαζεμένος
all together

ΑΛΕΞΑΝΔΡΟΣ :

Αχ, εκεί, Ηρακλή, είναι η αίθουσα με τα Μάρμαρα του Παρθενώνα. Τα λεγόμενα Ελγίνεια. Σήμερα, από ό,τι φαίνεται, έχει συναυλία κλασικής μουσικής... Τι να πεις... Αλλά εμείς δεν πάμε εκεί, πάμε στην Καρυάτιδα! Να τη! Εδώ, δεξιά! Δίπλα στην πόρτα, την βλέπεις;

ΗΡΑΚΛΗΣ :

... Ναι! Καρυάτιδα! Ε, κυρία Καρυάτιδα! Τι κάνετε;

ΚΑΡΥΑΤΙΔΑ :

Δεν αντέχω άλλο! Σταματήστε παρακαλώ να βγάζετε φωτογραφίες! Κουράστηκα. Ναι, εκεί μέσα είναι τα Μάρμαρα του Παρθενώνα. Παρακαλώ αφήστε με μόνη μου εδώ στην αίθουσα του Ερεχθείου. Εγώ και οι αναμνήσεις μου... Φύγετε, παρακαλώ, φύγετε. Εμ, τι ακούω, **μιλάτε** ελληνικά;

μιλάτε

ΗΡΑΚΛΗΣ :

Ναι, κυρία Καρυάτιδα! Είμαι ο Ηρακλής! Μιλήσατε με τη γυναίκα μου, τη Διηάνειρα. Μου είπε ότι θέλετε βοήθεια!

ΚΑΡΥΑΤΙΔΑ :

Αχ, η Διηάνειρα! Σου είπε ότι θέλω βοήθεια; Ναι, αλλά εγώ θέλω έναν δυνατό άντρα, αλλά με μυαλό. Εσύ έχεις μυαλό; Με το μυαλό μπορώ να φύγω από εδώ. Μπορώ να πάω στο σπίτι μου, στο Ερεχθείο! Εσύ δεν μου φαίνεσαι ούτε πολύ δυνατός, ούτε πολύ **μυαλωμένος**...

μυαλωμένος
smart, brainy

παγίδευσα
trapped

ΗΡΑΚΛΗΣ :

Εγώ, κυρία Καρυάτιδα, σκότωσα τη Λερναία Ύδρα! Και **παγίδευσα** τον Ερυμάνθιο Κάπρο! Έχω πολλή δύναμη και στα χέρια και στο νου! Τι μου λες τώρα;

ΑΛΕΞΑΝΔΡΟΣ :

Ναι, κυρία Καρυάτιδα, είναι δυνατός ο Ηρακλής! Ήρθε εδώ για να σε σώσει!

μαλλιά

χτένισμά
hairstyle

στη μόδα
on style

εκθέματα
exhibits

ανάγλυφα
reliefs

Ναό του Επικούρειου Απόλλωνα στις Βάσσες
Temple of Epicurean Apollo at Vasses

ΚΑΡΥΑΤΙΔΑ :

Για να με σώσει; Δεν πιστεύω ότι μπορεί. Ξέρεις, έρχονται εδώ κάθε μέρα και βγάζουν φωτογραφίες τα **μαλλιά** μου. Είναι, λένε οι τουρίστες, το **χτένισμά** μου και πάλι **στη μόδα**. Και θέλουν να κάνουν τα μαλλιά τους όπως εγώ. Τι να πω, εγώ νομίζω ότι θα είμαι φυλακισμένη εδώ για πάντα. Μίλησα και με τα άλλα **εκθέματα** εδώ, που είναι πιο παλιά, με τα **ανάγλυφα** από το **Ναό του Επικούρειου Απόλλωνα στις Βάσσες**.

ΗΡΑΚΛΗΣ :

Και τι είπαν τα ανάγλυφα;

Μπερδεμένα
confused

Σειρά
order

Αλλάζουν
change

Θέση
position

ΚΑΡΥΑΤΙΔΑ :

Τι να πουν και τα ανάγλυφα από τις Βάσσες!! Είναι πολύ **μπερδεμένα**. Κανείς δεν ξέρει με ποια ακριβώς **σειρά** βρίσκονταν πάνω στο Ναό. Τα έβαλαν εδώ και κάθε λίγα χρόνια τους **αλλάζουν θέση**, μετά λένε πάλι λάθος κάναμε, τα ξανα-αλλάζουν, και όλο μπερδεμένα είναι.

ΗΡΑΚΛΗΣ :

Κρίμα, πολύ κρίμα για τα ανάγλυφα.

ΚΑΡΥΑΤΙΔΑ :

Ναι, είναι **άδικο**. Τα ρώτησα **προχτές** το βράδυ, θέλετε να φύγετε, να πάτε πίσω στην Ελλάδα; Και εκείνα μου είπαν όχι, είμαστε τόσο μπερδεμένα που δεν θέλουμε να πάμε πίσω στην Ελλάδα. Εγώ, Ηρακλή, ξέρεις, κάθε βράδυ που κλείνει το Μουσείο **σχεδιάζω** την **απόδρασή** μου.

ΗΡΑΚΛΗΣ :

Δηλαδή; Τι σχεδιάζετε κυρία Καρυάτιδα;

ΚΑΡΥΑΤΙΔΑ :

Κάθε βράδυ, έρχεται ο φύλακας και **κλειδώνει** την πόρτα. Και εγώ κάθομαι και σχεδιάζω πώς θα φύγω από εδώ. Τα έχω σκεφτεί όλα στην **εντέλεια** : Θα φύγω βράδυ, θα σπάσω την πόρτα που κλειδώνει ο φύλακας και θα φτάσω μέχρι την **κεντρική** είσοδο. Από την κεντρική είσοδο μπροστά υπάρχει ένας κήπος. Το δύσκολο κομμάτι είναι να περάσω τον κήπο και να μη με καταλάβουν. Αφού θα φτάσω στην εξωτερική είσοδο και από εκεί στο δρόμο, μετά θα είναι εύκολο. Κανείς δεν θα με καταλάβει βράδυ στους δρόμους του Λονδίνου. Θα με βοηθήσετε;

Κρίμα
sad, shame

Άδικο
unfair

Προχτές
the day before yesterday

σχεδιάζω
plan

Απόδρασή
escape

Κλειδώνει

Εντέλεια
to the smallest detail,
to perfection

Κεντρική
central

ΗΡΑΚΛΗΣ :

Εγώ! Εγώ! Γι' αυτό είμαι εδώ! Για να σε βοηθήσω να αποδράσεις!

ΚΑΡΥΑΤΙΔΑ :

Μπορείς; Απόψε το βράδυ; Έχω πολλές ιδέες για το πώς θα φύγουμε, **θα με ντύσετε** με ρούχα μοντέρνα και θα πάρουμε το αεροπλάνο. Κανείς δεν θα μας καταλάβει! Και θα γυρίσω επιτέλους στις αδερφές μου, στην πατρίδα μου, στο σπίτι μου!

θα με ντύσετε
you shall dress me

ΗΡΑΚΛΗΣ :

Όλα θα γίνουν. Εμείς πες μας τι θέλεις να κάνουμε!

ΑΛΕΞΑΝΔΡΟΣ :

Ναι, κυρία Καρυάτιδα! Τι θέλεις να κάνουμε εμείς για την απόδρασή σου;

ΚΑΡΥΑΤΙΔΑ :

Κατ' αρχάς μη **τραβήξετε υποψίες**. Όλα θα είναι **μυστικά**. Θέλω να δείτε και τα άλλα εκθέματα του Μουσείου και μετά να φύγετε. Το βράδυ, στις δέκα η ώρα, θέλω να έρθετε εδώ. Έχει έναν φύλακα μπροστά στην κεντρική είσοδο. Αυτό τον φύλακα πρέπει να **τον αποκοιμήσετε**. Δεν ξέρω πώς, εσείς θα σκεφτείτε τρόπο.

τραβήξετε
cause
υποψίες
suspicions
μυστικά
secrets
τον αποκοιμήσετε
put him to sleep

ΗΡΑΚΛΗΣ :

Ξέρω εγώ! Θα του ρίξω μία με το ρόπαλο στο κεφάλι και θα λιποθυμήσει αμέσως! Αυτό θα κάνω! Εύκολο!

ΚΑΡΥΑΤΙΔΑ :

Ωραία, ωραία. Αφού λοιπόν νικήσετε τον φύλακα, μετά θα μπείτε μέσα στο Μουσείο. Έχει και άλλο φύλακα, θα κάνετε πάλι το ίδιο. Εγώ, **τριάντα λεπτά** μετά, στις δέκα και μισή το βράδυ, θα σπάσω την πόρτα και θα περιμένω να έρθετε να με πάρετε. Εντάξει;

τριάντα
thirty
λεπτά
minutes

ΗΡΑΚΛΗΣ :

Εντάξει! Έτοιμο το σχέδιο! Φεύγουμε, Αλέξανδρε;

ΑΛΕΞΑΝΔΡΟΣ :

Φεύγουμε. Αλλά, δεν ξέρω, αυτό το σχέδιο το φοβάμαι....

ΚΑΡΥΑΤΙΔΑ :

Δεν έχεις να φοβάσαι τίποτα. Λοιπόν, άντε, στο καλό, στην ευχή του Δία να πάτε και τα λέμε το βράδυ. Γεια σας!

ΗΡΑΚΛΗΣ :

Γεια σου κυρία Καρυάτιδα!

ΑΛΕΞΑΝΔΡΟΣ :

Γεια σου!

ΑΣΚΗΣΕΙΣ ΚΑΤΑΝΟΗΣΗΣ ΔΙΑΛΟΓΟΥ

COMPREHENSION EXERCISES

1. **Στην Αγγλία ο καιρός είναι ιδιαίτερος :**

   α) κάνει ζέστη και τον μισό χρόνο έχει ήλιο.

   β) κάνει κρύο και τον μισό χρόνο βρέχει.

   γ) κάνει κρύο, αλλά δεν βρέχει ποτέ.

   δ) κάνει ζέστη, αλλά δεν έχει συχνά ήλιο.

2. **Ο Ηρακλής και ο Αλέξανδρος πηγαίνουν στο Βρετανικό Μουσείο με :**

   α) τα πόδια.

   β) το λεωφορείο.

   γ) ένα ταξί.

   δ) το μετρό.

3. **Η Καρυάτιδα στον διάλογο:**

   α) θέλει κι άλλες φωτογραφίες, ποζάρει με ενθουσιασμό.

   β) δεν θέλει άλλες φωτογραφίες, γκρινιάζει στους τουρίστες και τους διώχνει.

   γ) είναι φιλόξενη και πρόσχαρη προς τους τουρίστες.

   δ) είναι χαρούμενη.

4. **Τα ανάγλυφα από το Ναό του Επικούρειου Απόλλωνα στις Βάσσες βρίσκονται στο Βρετανικό Μουσείο. Εκεί :**

   α) είναι τοποθετημένα σε σωστή, μελετημένη σειρά και ξέρουμε ποιον μύθο λένε.

   β) είναι σε καλή κατάσταση.

   γ) είναι τοποθετημένα σε λάθος σειρά και δεν ξέρουμε ποιον μύθο λένε..

   δ) σχεδόν δεν βλέπεις πού είναι.

5. **Η κεντρική ιδέα της Καρυάτιδας για να φύγει από το Βρετανικό Μουσείο είναι η εξής:**

   α) θα ντύσουν τον φύλακα με μοντέρνα ρούχα και η Καρυάτιδα θα αποκοιμηθεί. Θα σπάσουν την πόρτα και θα φύγει.

   β) θα φύγει γρήγορα γρήγορα, το γοργόν και χάριν έχει.

   γ) θα φύγει σιγά σιγά, γιατί όποιος βιάζεται σκοντάφτει.

   δ) θα αποκοιμήσουν τον φύλακα και θα ντύσουν την Καρυάτιδα με μοντέρνα ρούχα. Θα σπάσουν την πόρτα και θα φύγει.

ΑΣΚΗΣΕΙΣ ΓΙΑ ΚΟΥΒΕΝΤΑ ΔΙΑΛΟΓΟΥ

DISCUSSION EXERCISES

1. **Πώς βοηθάς όταν σου ζητά κανείς βοήθεια; Είναι η βοήθεια μία από τις αξίες της ανθρωπότητας σήμερα; Παραδείγματα;**

2. **Τι είναι νόμιμο και τι παράνομο στην περίπτωση του διαλόγου; Η κλοπή της Καρυάτιδας από το Ερέχθειο ή η κλοπή της Καρυάτιδας από το Μουσείο;**

3. **Σε ποιο βαθμό η παρουσία της Καρυάτιδας στο Βρετανικό Μουσείο δημιουργεί την ιδέα του Έθνους και του ανολοκλήρωτου μνημείου που ζητά ολοκλήρωση; Είναι ιδέα ή ιδεολόγημα η επιστροφή των αρχαίων μνημείων κατά τη γνώμη σου;**

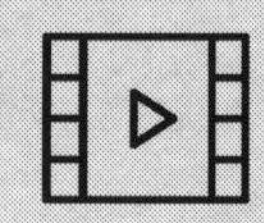

29

Ο ΗΡΑΚΛΗΣ, Ο ΑΛΕΞΑΝΔΡΟΣ ΚΑΙ Η ΚΑΡΥΑΤΙΔΑ ΣΤΗ ΦΥΛΑΚΗ

Ακούγεται μία σειρήνα αστυνομίας

Στραβά
wrong
Κεραυνός
thunder

Φυλακής
Σίδερα
irons
Λεβέντες
brave men

ΗΡΑΚΛΗΣ :

Όλα πήγαν **στραβά**! Δεν καταλαβαίνω τι ήταν αυτό που με χτύπησε, σαν **κεραυνός** ήταν, μα τον Δία. Αχ της **φυλακής** τα **σίδερα** είναι για τους **λεβέντες**.

ΚΑΡΥΑΤΙΔΑ :

Τι είναι ο λεβέντης;

Παλλικάρι
brave, daring man

ΗΡΑΚΛΗΣ :

Λεβέντης είναι ο δυνατός άντρας, το **παλλικάρι**, εγώ!

Μαλάκας
fool, jerk

ΚΑΡΥΑΤΙΔΑ :

Εσύ, Ηρακλή, είσαι και λεβέντης, είσαι και **μαλάκας**!

ΗΡΑΚΛΗΣ :

Δηλαδή; Μαλάκας τι σημαίνει;

ΚΑΡΥΑΤΙΔΑ :

Ηρακλή μου, μαλάκας σημαίνει ότι είσαι **μαλθακός, αδύναμος**. Σημαίνει ότι δεν έχεις δύναμη στο μυαλό. Αλλά έχεις δύναμη στα χέρια.

Μαλθακός
soft

Αδύναμος
weak

ΑΛΕΞΑΝΔΡΟΣ :

Ηρακλή, είμαστε στην Αγγλία. Εδώ έχουν όπλα οι φύλακες. Φυσικά και σε χτύπησε, με **ηλεκτρισμό**, και σε νίκησε αμέσως. Ήταν λάθος το σχέδιό μας.

Ηλεκτρισμό
electricity

ΚΑΡΥΑΤΙΔΑ :

Λάθος είναι που είμαστε εδώ, στην φυλακή! Είναι λάθος και άδικο! Δικό σου λάθος. Αλλά και εσύ βρε Ηρακλή, δεν έχεις μυαλό καθόλου!

ΗΡΑΚΛΗΣ :

Τι έκανα; Και δύναμη έχω, και μυαλό!

ΚΑΡΥΑΤΙΔΑ :

Ναι, Ηρακλή, αλλά όταν κάνεις κάτι δύσκολο και επικίνδυνο, δεν **φωνάζεις**! Εσύ φώναξες! Φώναξες σα να είμαστε σε **γήπεδο**! Στο γήπεδο σωστά φωνάζουμε. Στο Μουσείο όμως δεν φωνάζουμε Ηρακλή! Ο **ενθουσιασμός** κάνει καλό, αλλά ο πολύς ενθουσιασμός οδηγεί σε λάθη…

Φωνάζεις

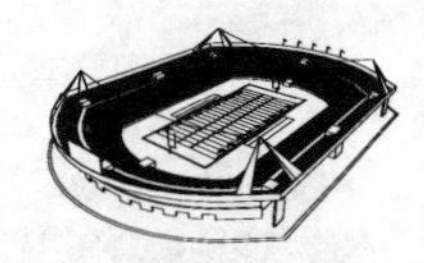

Γήπεδο

Ενθουσιασμός
enthusiasm

Μηδέν άγαν
they were zero / nothing in excess

Υπερβολικό
too much

ΑΛΕΞΑΝΔΡΟΣ :

Έχει δίκιο, Ηρακλή. **Μηδέν άγαν** δεν λένε; Τίποτε **υπερβολικό**, όλα με μέτρο! Εσύ ενθουσιάστηκες πολύ και φώναξες.

ΗΡΑΚΛΗΣ :

Δεν φώναξα! Απλώς είπα Πάμε! Αχ, Διηάνειρα! Εσύ και οι φίλες σου και οι ιδέες σου για ελευθερία! Αχ τι πάθαμε…

Βροντοφώναξες
shout outloud

Εσύ φταις
it is your fault

ΑΛΕΞΑΝΔΡΟΣ :

Ε, Ηρακλή, για να λέμε την αλήθεια δεν είπες απλώς Πάμε. Φώναξες. Όχι απλώς φώναξες! **Βροντοφώναξες**! Και τώρα μας λες ότι φταίει η Διηάνειρα και οι ιδέες της για ελευθερία! **Εσύ φταις** που φώναξες...

Ελευθερία
freedom

Αρετή
virtue

Τόλμη
boldness

Κατηγορίες
blaming / accusations

ΚΑΡΥΑΤΙΔΑ :

Ηρακλή,πρόσεχε τι λες! Η **Ελευθερία** είναι μεγάλο πράγμα! Θέλει **αρετή** και **τόλμη**. Εσύ έχεις και τα δύο, αλλά δεν είχες το μυαλό σου στη θέση του. Έτσι χάσαμε και την Ελευθερία μας. Γι' αυτό τώρα είμαστε στη φυλακή. Και έχουν δίκιο για τις **κατηγορίες**.

Κλέφτης
thief

Μουσείο

ΗΡΑΚΛΗΣ :

Όχι δεν έχουν! Με κατηγορούν ότι είμαι **κλέφτης**. Ότι θέλω να κλέψω την Καρυάτιδα! Αυτό είναι ψέματα. Η αλήθεια είναι ότι εκείνοι έκλεψαν εσένα Καρυάτιδα. Όχι εγώ. Οι κλέφτες είναι το **Μουσείο**.

ΚΑΡΥΑΤΙΔΑ :

Το Μουσείο είναι το σπίτι των **μουσών**. Και οι νόμοι είναι νόμοι, όπως λέει ο Σωκράτης. Χτες πιστεύαμε στους νόμους. Σήμερα πιστεύουμε στους νόμους. Άρα και αύριο θα πιστεύουμε στους νόμους. Πρώτα είναι ο νόμος και μετά εμείς. Dura lex, sed lex. Ο **νόμος** λέει ότι όταν είσαι στο Μουσείο νύχτα και σε βλέπουν, είναι **παράνομο**. Γι' αυτό σου είπα, να έρθεις μέσα προσεκτικά, να μη σε καταλάβουν.

Μουσών
muses

Νόμος
law

Παράνομο
unlawful

ΑΛΕΞΑΝΔΡΟΣ :

Κυρία Καρυάτιδα, έχω μερικά λεφτά. Μήπως έτσι βγούμε έξω από τη φυλακή; Είναι τόσο άσχημα εδώ μέσα.

ΚΑΡΥΑΤΙΔΑ :

Γιατί είναι τόσο άσχημα; Φαγητό έχουμε. Νερό έχουμε. Ζέστη έχει. Αφού κάναμε κάτι παράνομο, θα **τιμωρηθούμε**. Και εδώ η τιμωρία έχει τόσα καλά πράγματα. Όλα καλά δεν είναι;

Τιμωρηθούμε
be punished

ΗΡΑΚΛΗΣ :

Όχι, δεν είναι καλά! Αλέξανδρε, τι λένε τα βιβλία σου για όλα αυτά;

ΚΑΡΥΑΤΙΔΑ :

Ναι, τι λένε τα βιβλία σου Αλέξανδρε; Αφού ο Ηρακλής δεν είχε μυαλό και έκανε βλακείες, αφού δεν ακολούθησε τους νόμους, ούτε βρήκε νόμιμο τρόπο να γυρίσω εγώ στην Ελλάδα, τι μπορούμε να κάνουμε τώρα; Τι λένε τα βιβλία σου; Μυθολογίες;

ΑΛΕΞΑΝΔΡΟΣ :

Τα βιβλία μου; Τι λένε; Εμ, μισό λεπτό. Βασικά... Εγώ ένα βιβλίο διάβαζα και μετά κοιμήθηκα! Άρα τι λένε τα βιβλία μου για όλα αυτά;

Δουλειά
work

Σχολείο

ΚΑΡΥΑΤΙΔΑ :

Τι λένε βρε Αλέξανδρε; Λένε ότι ακόμα κοιμάσαι. Λένε ότι όλα αυτά είναι ένα όνειρο. Λένε ότι εσύ ορίζεις τη ζωή σου, όπως ο Ηρακλής όρισε τη δική του ζωή. Άντε λοιπόν, εμπρός! Ξύπνα! Έχεις **δουλειά** για το **σχολείο**! Καλημέρα!!!

ΑΣΚΗΣΕΙΣ ΚΑΤΑΝΟΗΣΗΣ ΔΙΑΛΟΓΟΥ

COMPREHENSION EXERCISES

1. **Ο Ηρακλής είναι και λεβέντης, είναι και μαλάκας, δηλαδή :**

α) δεν έχει πολλή δύναμη, ούτε στο μυαλό, ούτε στα χέρια.

β) έχει πολλή δύναμη, αλλά όχι στο μυαλό. Έχει δύναμη κυρίως στα χέρια.

γ) έχει λάθος σχέδιο, αλλά το λέει με πολύ ωραία λόγια.

δ) έχει σωστό σχέδιο, αλλά δεν το λέει με σωστά λόγια..

2. **Ο Ηρακλής όταν κάνει την απαγωγή της Καρυάτιδας, κάνει λάθος επειδή:**

α) πάνω στον ενθουσιασμό του, φωνάζει.

β) πάνω στον ενθουσιασμό του, ξεχνάει την Καρυάτιδα.

γ) πάνω στον ενθουσιασμό του, ξυπνάει τον φύλακα.

δ) πάνω στον ενθουσιασμό του, ξυπνάει τις Μούσες.

3. **Η Ελευθερία είναι κάτι σπουδαίο και αξίζει στον Ηρακλή, αλλά την χάνει. Γιατί;**

α) Ο Ηρακλής δεν έχει και αρετή και τόλμη.

β) Ο Ηρακλής έχει και αρετή και τόλμη, αλλά δεν έχει τον ενθουσιασμό.

γ) Ο Ηρακλής έχει και αρετή και τόλμη, αλλά δεν έχει το μυαλό στη θέση του.

δ) Ο Ηρακλής δεν έχει λεφτά και κλέβει το Μουσείο.

4. **Πώς προτείνει να δράσουν η Καρυάτιδα στον Ηρακλή;**

α) Να φύγουνε από την φυλακή κρυφά, αργά τη νύχτα.

β) Να μη φύγουνε από την φυλακή, γιατί έχουν δίκιο οι κατήγοροι και οι νόμοι.

γ) Να πληρώσουνε μερικά λεφτά στους φύλακες και να φύγουν.

δ) Να κάνουν υπομονή και να μην κάνουν τίποτε γιατί έρχεται ο Ερμής.

5. **Τελικά τι συμβαίνει από τα παρακάτω;**

α) Ο Ηρακλής βλέπει όνειρο ότι είναι μέσα στη φυλακή.

β) Ο Αλέξανδρος βλέπει όνειρο ότι η Καρυάτιδα είναι έξω από τη φυλακή.

γ) Η Καρυάτιδα βλέπει όνειρο ότι είναι μέσα στη φυλακή.

δ) Ο Αλέξανδρος βλέπει όνειρο ότι είναι με τον Ηρακλή και την Καρυάτιδα στη φυλακή.

ΑΣΚΗΣΕΙΣ ΓΙΑ ΚΟΥΒΕΝΤΑ ΔΙΑΛΟΓΟΥ

DISCUSSION EXERCISES

1. **Ποιος είναι δυνατός και ποιος αδύναμος άνθρωπος κατά τη γνώμη σου; Ποιος είναι λεβέντης και ποιος μαλάκας; Περιγραφή.**

2. **Ανήκουν σε κάποιον τα αρχαιολογικά μνημεία ή όχι; Ανήκουν σε μουσεία; Σε κράτη; Στην ανθρωπότητα; Γιατί κατά τη γνώμη σου;**

3. **Κατά τη γνώμη σου, είναι η ιδέα του έθνους ένα όνειρο, ένα σύμβολο ή μία πραγματικότητα, μία ζωή απτή;**

Αα

Ααααχ

αγαθό, το- αγαθά, τα — the good

αγάλματα τα - άγαλμα το — statue

άγαν μηδέν — Nothing in Excess

αγαπάει, αγαπάς, αγαπάτε, αγαπούν, αγαπάω — to love

αγάπη η — love

Αγαπημένη η — the beloved

αγγεία τα - αγγείο το — vase

αγγειοπλάστης ο — pottery maker

άγγελος ο — angel, messenger

Αγγλία η — England

αγνός - αγνή - αγνό — pure

αγνότητα η — purity

άγνωστα τα - άγνωστο το — unknown

αγορά η — the market, purchase also : the Agora of Athens

αγοράζω, αγοράζει, αγοράζουμε — to buy

αγοράσαμε, αγόρασαν — we bought, they bought

αγοράσει να, αγοράσουμε να — (he wants) to buy

άγριος - άγρια - άγριο — wild

αγρίως — wildly

αγρότης ο - αγρότισσα η — farmer (masc. & fem.)

αγροτικός - αγροτική - αγροτικό — rural, of a farm

αγρούς τους, αγρός ο — the fields

άγχος το — anxiety, stress

αγώνας ο, αγώνες οι — the race, the struggle

αδελφή η, αδερφή η - αδερφές οι — sister

αδέλφια τα - αδέρφια τα — siblings

αδελφός ο, αδερφός ο — brother

Άδης ο — Hades

άδικος - άδικη - άδικο — unfair

Αδριανού του, Αδριανός ο — Hadrian

αδύναμη - αδύναμος -αδύναμο — weak

αδύνατη - αδύνατος -αδύνατο — thin, slim

αδύνατον ! — Impossible !

αέρας ο - Αέρα ! — air - WW2 fight call

Αεροδρόμιο το — airport

αεροπλάνο το — airplane

αέτωμα το — pediment

αθανασία η — Immortality

αθάνατος - αθάνατη - αθάνατο — immortal (masc./ fem./ neut.)

Αθηνά η — Athena, Minerva

Αθήνα η - Αθήνας της — Athens

Αθηναϊκό το — Athenian (neut.)

Αθηναία η - Αθηναίας της - Αθηναίες οι — Athenian (fem.)

Αθηναίος ο - Αθηναίου του - Αθηναίοι οι - Αθηναίων των - Αθηναίους τους — Athenian (masc.)

άθλημα το — sport

άθληση η — the action of excersising

αθλητής ο - αθλητές οι — athlete

άθλιος - άθλια - άθλιο — miserable (masc./ fem./ neut.)

άθλος ο - άθλου του - άθλοι οι - άθλους τους — labor

Αιγέας ο - Αιγέα του — Aegeas

αίθουσα η — room

Αίθρα η — Aethra

αισθάνεται - αισθάνεσαι - αισθάνομαι — to feel

αίσθηση η — feeling

αιτία η — reason, cause

ακολουθείς - ακολουθώ — to follow

ακολούθησέ με — Follow me!

ακόμα — still

ακόμη — yet

Άκου / Άκουσε — You Listen !

ακούγεται — can be heard

ακούω - ακούς - ακούει - ακούμε - ακούτε - ακούν — to hear

άκουσα - άκουσες - άκουσε - ακούσαμε - ακούσατε - άκουσαν — I heard

άκρη η — the edge

ακριβά — expensive (adverb)

ακρίβεια η — precision, when sth is expensive

ακριβός - ακριβή - ακριβό — expensive (masc./ fem./ neut.)

Ακριβώς — Exactly !

Ακρόπολη η - Ακρόπολης της — The Acropolis

Αλέκος ο — Alex

Αλεξάνδρα η — Alexandra

Αλέξανδρε ω - Αλέξανδρος ο - Αλεξάνδρου του / Αλέξανδρου του — Alexander

αλήθεια η - αλήθειας τη - αλήθειες οι — truth

αληθινά - αληθινή - αληθινό — real

Αλκμήνη — Alcmene

αλκοόλ το — alcohol

αλλά — but

άλλα — others

αλλαγή η — change (noun)

αλλάζουν - αλλάζω - να αλλάξω — to change

Άλλεν Γούντι — Woody Allen

άλλες - άλλη - άλλος - άλλοι - άλλους - άλλο — other

αλλιώς — otherwise, elsehow

αλλού — some place else

Άλλωστε — After all, Nevertheless

άλογα τα - άλογο το — horse

αλυσίδες οι — chains

Αμάν — Bummer !

Αμερικάνων των - Αμερικάνοι οι — Americans

Αμερική — America

Αμέσως — Immediately

αμφορείς οι - αμφορέας ο — Amphorae

Αν — if

ανά — per

Ανάβω — to light up

ανάγκη η — need

ανάγλυφα τα - ανάγλυφο το — relief, sculpture

ανάκτορα τα - ανάκτορο το — the palaces

ανάλογα — accordingly

ανάμεσα — in between

αναμνήσεις οι - ανάμνηση η — memory

Άναξ ο — king

ανάποδα — upside down

ανατολικές - ανατολικοί - ανατολικά — east (fem./ masc./ neut.)

άναψε - ανάβω - ανάψω — light up / turn on

άνδρας ο - άνδρες οι - ανδρών των — man

Ανδρέας ο — Andrew

ανεξήγητα — inexplicably, unexplained

άνεργος - άνεργη - άνεργο — unemployed (masc./ fem./ neut.)

Ανήκω - ανήκει - ανήκουν — to belong

ανηφόρα η — uphill

ανηψιός ο - ανηψιά η — nephew

ανθρώπινα τα - ανθρώπινο το — human beings

άνθρωπος ο - ανθρώπου του - άνθρωποι οι - ανθρώπων των- ανθρώπους τους — people

ανθρωπότητα η — humanitas

ανίατος - ανίατη - ανίατο — incurable (masc./ fem./ neut.)

άνοιξε - ανοίγω — to open

άνοιξη η — spring

Ανοιχτά — Open (for a store)

ανολοκλήρωτος - ανολοκλήρωτη - ανολοκήρωτο — unfinished (masc./ fem./ neut.)

Άντε — Come on ! Hey

αντέχω - αντέχει - αντέξω — to endure

αντιμετωπίζω - αντιμετωπίζεις - να αντιμετωπίσω — to face a situation

Αντίο — Goodbye

Αντιφάρμακα — Antimedicine

άντρας ο - άντρες οι / άνδρας ο - άνδρες οι — man

αξίες οι - αξία η — value, worth

αξίζω — to be worth

άξιος - άξια - άξιο — worthy (masc./ fem./ neut.)

από — άπ' — from

απαγωγή η — kidnapping, abduction

απάντηση η — answer

απελπισία η — despair, hopelessness

απέναντι — across

απήγαγαν - απαγάγω — to abduct, to kidnapp

απίθανος - απίθανη - απίθανο — unlikely, impossible

απίστευτα — unbelievable

απλά — simply

απλός - απλή - απλό — simple, plain (masc./ fem./ neut.)

απλώς — just (adverb)

από — from

απόγευμα το — afternoon

αποδιοργανωμένος - αποδιοργανωμένη - αποδιοργανωμένο — disorganized (masc./ fem./ neut.)

απόδραση η - αποδράσεις οι — getaway

αποκοιμάμαι - να αποκοιμηθώ — to fall asleep

αποκοιμήσω - να αποκοιμήσουν — to make sb fall asleep

αποκτώ - να αποκτήσω — to own, to gain ownership

Απόλλων - Απόλλωνας - του Απόλλωνα — Apollo

Απολύτως — Absolutely

αποξήρανση η — drainage

αποτελέσματα τα — results

αποτελεσματικός - αποτελεσματική - αποτελεσματικό — affective

αποφασίζω — to decide

Απόψε — tonight

απτός - απτή - απτό — tangible (masc./ fem./ neut.)

Άρα — Therefore

αργά — late

αργώ - να αργήσω — to be late

Αργολίδα η — Argolid

αρέσω — to be likeable

αρέσει Μου — I like sth

αρέσουν Μου — I like some things

Αρετή η — Virtue

Άρης ο — Mars

αριστερά — left

Ἄριστον το ἄριστον

Αριστοτέλης ο — Aristotle

αρκετός - αρκετή - αρκετό — enough (masc./ fem./ neut.)

άρμα το - άρματα τα — chariot

αρπάζω - άρπαξα - άρπαξε — to grab

άρρωστος - άρρωστη - άρρωστο — sick (masc./ fem./ neut.)

άρτος ο — bread (church)

αρχαίος - αρχαία - αρχαίο — ancient (masc./ fem./ neut.)

Αρχαία τα — Antiquities

αρχαίοι οι - των αρχαίων — the Ancients

αρχαιολογικός - αρχαιολογική - αρχαιολογικό — archaelogical (masc./ fem./ neut.)

αρχαιότητα η — Antiquity

αρχάς - Κατ' αρχάς — In the begining, at first

αρχή - Κατ' αρχήν — According to the principle

αρχίζω - να αρχίσω - να αρχίσει — to begin

αρχιτεκτονική η — architecture

αρώματα τα - άρωμα το — aroma, perfume

Ας — Let us

ασθενής - ασθενής - ασθενές — patient, ill (masc./ fem./ neut.)

Ασκηλπιός ο - ω Ασκληπιέ — Asklepius

Άσκηση η — Exercise

ασκός ο — bag of Aeolus

Ασκώ - Ασκείς - Ασκεί - Ασκούμε - Ασκείτε - Ασκούν — to exercise

Ασπασία η — Aspasia

Άστει εν - άστυ το — city

αστυνομία η — police

ασφάλεια η — security

άσχετος - άσχετη - άσχετο - άσχετε ! — Irrelevant! Dumb! (masc./ fem./ neut.)

άσχημος - άσχημη - άσχημο — ugly, out of shape (masc./ fem./ neut.)

άσχημαm — in bad condition (adverb)

άτακτος - άτακτη - άτακτο — naughty

ατμόσφαιρα η — atmosphere

άτομο το - άτομα τα — the person

Αττική η — Attica

άτυχος - άτυχη - άτυχο — unlucky (masc./ fem./ neut.)

Αύγουστος ο — August

αυθεντικός - αυθεντική - αυθεντικό — authentic, original (masc. / fem. / neut.)

αυλή η — courtyard, garden

αύριο — tomorrow

αυτός - αυτή - αυτό — he she it

αυτοί - αυτές - αυτά — they

αυτοκίνητο το - αυτοκίνητα τα — car

αυτονομία η — autonomy, independence

αυτοψία η — autopsy

αφήνω - άφησε - αφήστε — to let go

Αφού — since, after

αφρός ο — foam

Αφροδίτη η — Aphrodite

αφυδάτωση η — dehydration

Αχ — Oh !

Αχέροντας — Acheron

άχρηστος - άχρηστη - άχρηστο — useless

αχτίδα η — ray

Ββ

βάζω - βάζει - βάζετε / να βάλω να βάλει να βάλετε — to put

βαθμός ο — degree ο

βαθύς - βαθεία - βαθύ — deep (masc. / fem. / neut.)

βαρέλι το - βαρέλια τα — barrel

βαρετός - βαρετή - βαρετό — boring (masc. / fem. / neut.)

βαρύς - βαριά - βαρύ — heavy (masc. / fem. / neut.)

Βαριέμαι — I am bored

Βασικά — Basically

Βασιλεύς ο - Βασιλιάς ο — King

Βάσσες οι — Bassae

βαψίματα τα — makeup / paintings

βγάζω - βγάζετε - βγάζουν — to take out

βγαίνω - βγαίνεις - βγαίνει - βγαίνουμε - βγαίνετε - βγαίνουν — to go out

βγω να - βγεις να - βγούμε να — for me to get out (subjunctive)

βέβαια — sure

βέλος το - βέλη τα =the Arrow The Arrows

βενζίνη η — gasoline

Βήχας ο — Cough

βία η — violence

βιάζομαι - βιάζεται — to rush, to be in a hurry

βιαστικά — hastily

βιβλίο το - βιβλία τα — the book - the books

βιβλιοθήκη η — library h

βιβλιοπώλης ο — bookseller

βίος ο =life

βιολογικός - βιολογική - βιολογικό — biological (masc. / fem./ neut.)

βλάκας ο — stupid

βλακείες οι — stupidities

βλέμμα το — glance

βλέπω - βλέπεις - βλέπει - βλέπουμε - βλέπετε - βλέπουν — to see

βλήτα τα - βλήτο το — purple amaranth - the

βοηθάω / βοηθώ - βοηθάς - βοηθά - βοηθάμε - βοηθάτε - βοηθάνε / βοηθούν — to help

βοήθεια η — help (noun)

βοήθειά σου ! — your help / God Bless you

βοήθησε - βοηθήσω βοηθήσεις - βοηθήσει- βοηθήσουμε - βοηθήσετε- βοηθήσουν — Help (Dictative) - to help (subjunctive)

βοηθός ο — assistant

βόλτα η - βόλτες οι — ride - the rides

βοσκάω - βοσκάς - βοσκάει — I graze - you graze - he/she/it grazes

βότανο το - βότανα τα — herb - herbs

Βουδισμός ο — Buddhism

Βουλευτής ο - βουλευτές οι — member of Parliament - Members of Parliament

Βουλευτήριο το — Parliament

Βουλή η — House of Parliament

βουνό το — mountain

βράδυ το — evening - night

Βραχμαλόκα ο — Bahmalaka god

βρε — hey you

βρέθηκα — I found myself

Βρετανικός - Βρετανική - Βρετανικό — British (masculine) - British (feminine) - British (neuter)

βρέχει — it rains, it's raining

βρίσκω - βρίσκεις - βρίσκει / βρήκα -

βρήκες - βρήκε — I find - you find- he/she/it finds / I found-you found-he/she/it found

βρίσκεται - βρίσκονται — it lies, it is found - they are found

βρίσκονταν — they were found, they were

Βροντοφωνάζω - Βροντοφώναξα — to shout aloud- I shouted loud

βροχή η — rain

Γγ

γάλα το — milk

γαμπρός ο — the groom

Γατάκι το — the kitten

γαυγίζω — to bark

γαύρος ο — anchovy

γεγονός το — event

γεγονότα τα — events

Γεια — hello, hi

γειτονιά η — neighbourhood

γελάω - γέλασα — to laugh - I laughed

γεμάτος - γεμάτη - γεμάτο — full (masc./ fem./ neut.)

γεμίζω - γέμισα — to fill up

γενετικά — genetic

γενιά η — generation

γεννήθηκα - γεννήθηκες - γεννήθηκε — I was born - you were born - he/she/it was born

γέρος ο — old man

γεύμα το - γεύματα τα — meal - meals

γεωργία η — agriculture

γη η — earth

Γηγενείς οι — natives

γήπεδο το — stadium

Γι' — for

για — for

Γιάννης ο — Yiannis (John)

γιαούρτι το — yoghurt

Γιατι — why

γιατί — why

γιατρός ο - γιατρού του - γιατρέ — the doctor - his doctor's - doctor!

γίνω - γίνεις - γίνει - γίνουν — to become

γίνεται — is being made / is possible

γινόταν — was being made / was possible

γιορτάζω - γιορτάζεις - γιορτάζει - γιορτάζουμε - γιορτάζετε - γιορτάζουν — to celebrate, to feast

γιορτή η — celebration

γκρι — grey

γκρινιάζω — to growl

γλυκό το, γλυκά τα — the sweet - the sweets

γλυπτό το, γλυπτά τα — the sculpture - the sculptures

γλύπτης ο — the sculptor

γλώσσα η — tongue , language

γνώμη η — opinion

γνωρίζω - γνωρίζεις - γνωρίσω - γνωρίσεις — to know- to know (subjunctive)

γνωρίστηκα - γνωριστήκατε — I met with - you (plural) met with

γνώση η — knoeledge

Γνωστός - γνωστή -γνωστό — acquaintance - known (masc./ fem./ neut.)

γονείς οι — parents

γοργόν — fast

γούστο το - γούστου του - γούστα τα — taste

γράμμα το — letter

γράφω - γράφεις - γράφει — I write - you write - he/she/it writes

γράψε — write!

γρήγορα — fast, quickly

γρήγορος - γρήγορη - γρήγορο — fast (masc./ fem./ neut.)

γυαλιά τα — glasses

γυμνάζομαι - γυμνάζεσαι - γυμνάζεται — to train, to work out

Γυμνάσιο το — high school

γυμναστική η — exercising, gymnastics

γυμνός - γυμνή - γυμνό / γυμνοί - γυμνές - γυμνά — naked (masc./ fem./ neut.)

γυναίκα η - γυναίκας της - γυναίκες οι — the woman - the woman's - the women

γυρίζω - να γυρίσω — to return - to come back

γύρω — round

Δδ

δαγκώνω — I bite

δαμάζω — I tame

δάσκαλος ο — the teacher

δαυλός ο — torch

Δεν — not

δεδομένος - δεδομένη - δεδομένο — given (masc./ fem./ neut.)

δω - δεις - δει - δούμε - δείτε - δουν — to see (subjunctive)

δείχνω — I point, I show

Δέκα — ten

δεκαεφτά — seventeen

δέκατος — the tenth (masculine)

δεκατρείς — thirteen

Δελφοί - Δελφών - Δελφούς — Delphi - of Delphi - Delphi

δεμένος - δεμένη - δεμένο — tied (masculine) - tied (feminine) - tied (neuter)

δένω - δένεις - δένει — I tie - you tie - he/she/it ties

δέντρο το - δέντρα τα — the tree - the trees

δεξιά — right

δέρμα το — the skin, the leather

Δεύρο — to come

Δευτέρα η — Monday

δεύτερος - δεύτερη - δεύτερο — second (masc. fem. neut.)

δέχομαι - I accept

Δηιάνειρα η — Dianeira

δηλαδή — that is, which means

Δήμητρα η — Demetra

δημητριακά τα — cereals

δημιουργώ - δημιουργείς - δημιουργεί — to create

δημόσιο το — the public

Δήμος ο - Δήμου του — the municipality - of the municipality

Δίας ο — Zeus

διαβάζω - διαβάζεις - διαβάζει / διάβαζα - διάβαζες - διάβαζε — to read / I was reading

διάβασέ μου — read to me

διαδεδομένος - διαδεδομένη - διαδεδομένο — widespread (masc./ fem./ neut.)

δίαιτα η — diet

διακοπές οι — holidays , vacations

διαλέγω - διαλέγεις -διαλέγει — to choose

Διάλεξε — choose!

διάλογος — dialogue

διαμέρισμα το - διαμερίσματα τα — apartment - apartments

διαπράττω - διαπράττεις - διαπράττει — to commit

διάσημος - διάσημη - διάσημο — famous (masc./ fem. / neut.)

διαφορά η — difference

διαφορετικός - διαφορετική - διαφορετικό — different (masc./ fem. / neut.)

διδασκαλία η — teaching

διδάσκω — to teach

δίκαιος - δίκαιη - δίκαιο — fair (masc./ fem. / neut.)

δίκαιο το — the right

δικαίωμα το - τα δικαιώματα — the right - the rights

δικός δική δικό — his - hers - its

Δίκιο — right

Δίλημμα το — dilemma

δίνω δίνεις δίνει — to give

Διονύσια τα — Dionysia, celebrations of the god Dionysus

Διόνυσος ο - Διονύσου του — Dionysus - of Dionysus

δίπλα — next to

δίχως — without

Διψάω — to be thirsty

διώχνω - διώχνεις - να διώξω - να διώξεις — to chase away - to chase away (subjunctive)

δοκιμάζω - να δοκιμάσω — to try - to try (subjunctive)

δοκίμασε ! — try ! (imperative)

δολλάριο το - δολλάρια τα — dollar - dollars

δόντι το - δόντια τα — tooth - teeth

Δόξα η — glory

δουλειά η — job, work

δουλεύω - δουλεύεις - δουλεύει - δουλεύουμε - δουλεύετε - δουλεύουν — to work

δράκος ο — the dragon

δραπέτης ο — the runaway

δρω - να δράσω - να δράσουν — to act

δραχμή η - δραχμές οι — drachma - drachmae

δρεπάνι το — the scythe

δρόμος ο — the road

δύναμη η - δυνάμεις οι — power - the forces of

δυναμική η — dynamic

δυνατά — strongly, loudly

δυνατός - δυνατή - δυνατό — strong (masc./ fem. / neut.)

δυνατόν — possible

δυνατότητα — ability

δύο — two

δυσάρεστος - δυσάρεστη - δυσάρεστο — upleasant (masc./ fem. / neut.)

Δύσκολα — hard, difficult

δύσκολος - δύσκολη - δύσκολο — difficult (masc./ fem. / neut.)

δυσκολία η — difficulty

δυτικός - δυτική - δυτικό — west (masc./ fem. / neut.)

Δώδεκα — twelve

δωδέκατος - δωδεκάτη - δωδέκατο — twelfth (masc./ fem. / neut.)

δωμάτιο το — room

δωρεάν — for free, gratis

δώρο το — gift

Δώσε — give

Εε

έβδομος - έβδομη - έβδομο — seventh (masc./ fem./ neut.)

Εάν — if

έβαλα - έβαλες - έβαλε - βάλαμε - βάλατε - έβαλαν / βάλανε — to put (aorist)

εβδομάδα η — week

έβλεπα - έβλεπες - έβλεπε - βλέπαμε - βλέπατε - έβλεπαν/ βλέπανε — to watch (past continuous)

έγινα - έγινες - έγινε - γίναμε - γίνατε - έγιναν / γίνανε — to become (aorist)

έγκλημα το — crime

Εγκοιμητήριο το — Incubation Hall

έγραψα - έγραψες - έγραψε- γράψαμε - γράψατε - έγραψαν / γράψανε — to write (aorist)

Εγώ — I

έδαφος το — ground

έδειξα - έδειξες - έδειξε - δείξαμε - δείξατε - έδειξαν / δείξανε — to show (aorist)

Έδεσα - έδεσες - έδεσε- δέσαμε - δέσατε - έδεσαν / δέσανε — to tie (aorist)

εδώ — here

έδωσα - έδωσες - έδωσε - δώσαμε - δώσατε - έδωσαν / δώσανε — to give (aorist)

έθνος το - έθνη τα — nation

Έι — Hey

είδα - είδες - είδε - είδαμε - είδατε - **είδανε** — to see (aorist)

ειδικός - ειδική - ειδικό — specialist (masc./ fem./ neut.)

είδωλο το — eidolon / idol

εικόνα η — icon, picture

εικονογραφία η — iconography

εικοσιπέντε — twenty five

Είμαι - είσαι - είναι - είμαστε - είσαστε/ είστε - είναι — to be

είπα - είπες - είπε - είπαμε - είπατε - είπαν/είπανε — to say (aorist)

εισαγωγή η — introduction

εισιτήριο το — ticket

είσοδος η — entrance

είχα - είχες - είχε - είχαμε - είχατε - είχαν/ είχανε — to have (aorist)

έκανα - έκανες - έκανε - κάναμε - κάνατε - έκαναν/ κάνανε — to do (aorist)

εκεί — there

εκείνος - εκείνη - εκείνο / εκείνοι - εκείνες - εκείνα — that (masc./ fem./ neut.)

έκθεμα το - εκθέματα τα — exhibit

Εκκλησία η — Church

έκλεψα - έκλεψες - έκλεψε - κλέψαμε - κλέψατε - έκλεψαν / κλέψανε — to steal (aorist)

εκνευρίζομαι — to fret over sth, to worry

εκπαίδευση η — education

εκτός — except

έκφραση η — expression

Έλα ! — Come ! / Hey !

ελαφρύς - ελαφριά - ελαφρύ — light

Ελγίνεια τα — Hellenic Elgin Marbles

Ελένη η — Helen

ελεύθερος - ελεύθερη - ελεύθερος — free (masc./ fem. / neut.)

ελευθερία η — freedom, liberty

ελεύθερα — freely

ελιά η — olive tree

Ελλάδα η — Hellas

ελληνικά τα — greek (language)

ελληνικός - ελληνική - ελληνικό — hellenic, greek (masc./ fem./ neut.)

έλος το - έλους του — swamp

ελπίζω — to hope

έλυσα - έλυσες - έλυσε - λύσαμε - λύσατε - έλυσαν — to solve (aorist)

Εμ — Hmmm

έμεινα - έμεινες - έμεινε - μείναμε - μείνατε - έμειναν — to stay (aorist)

εμείς — we

εγώ - εμένα — I - Me

έμοιαζα - έμοιαζες - έμοιαζε — looked like (past continuous)

Έμπορος ο — trader, merchant

εμπρός — front, forth

Εν — In

ένα — one

ένας - μία - ένα — one (masc. / fem. / neut.)

εναντίον — against

έκτος - έκτη - έκτο — sixth (masc./ fem./ neut.)

ένατος - ένατη - ένατο — ninth (masc./ fem./ neut.)

ένδειξη η - ενδείξεις οι — indication

ένδυση η — clothing

ενθουσιασμός ο — enthusiasm

ενθουσιάζομαι - ενθουσιάστηκα — I am excited, enthusiastic

ενικός ο — singular

ένιωσα - ένιωσες - ένιωσε — to feel (aorist)

εννιά — nine

εννοώ - εννοείς - εννοεί — to mean

ενοικίαση η — rental

ενοίκιο το — rent (money)

ενοχλώ - ενοχλείς - ενοχλεί - ενοχλούμε - ενοχλείτε - ενοχλούν — to disturb, to bother

εντάξει — Okay, In order

εντέλεια η — perfectness

εντυπωσιακός - εντυπωσιακή - εντυπωσιακό — impressive (masc. / fem. / neut.)

ενυδάτωση η — hydration

ενώ — while

ενωμένος - ενωμένη - ενωμένο — united (masc. / fem. / neut.)

ενώνω — to unite

ένωση η — union

εξάδελφος — cousin

εξετάζω - εξέτασα — to look, to investigate

εξηγώ - να εξηγήσω — to explain, subjunctive

εξής — following, hereinafter

έξι — six

εξουσία η — power

έξυπνος - έξυπνη - έξυπνο — smart (masc. / fem. / neut.)

Έξω — Outside

εντέκατος - εντεκάτη - εντέκατο — eleventh (masc./ fem./ neut.)

εξωτερικός - εξωτερική - εξωτερικό — outdoor (masc./ fem./ neut.)

εξωτικός - εξωτική - εξωτικό — exotic (masc./ fem./ neut.)

εορτή η — celebration

έπαθα - έπαθες - έπαθε - πάθαμε - πάθατε - έπαθαν — have happen, suffer sth

επανάληψη η — repetition

επειδή — because

Επέκεινα — beyond

έπεσα - έπεσες - έπεσε - πέσαμε - πέσατε - έπεσαν — to fall (aorist)

Επίδαυρος η — Epidaurus

επικίνδυνα — dangerous (adverb)

επικίνδυνος - επικίνδυνη - επικίνδυνο — dangerous (masc./ fem./ neut.)

Επικούρειος — Epicurean

επιλογή η — choice

Επιμένω — to insist

επίσης — also

επιστήμη η — science

επιστρέφω — to return

επιστροφή η — return

επιτέλους — finally

επιτρέπω — allow

επόμενος - επόμενη - επόμενο — next (masc./ fem./ neut.)

εποχή η — season, era

έργο το - έργα τα — work

εργασία η — work, labor

Ερεχθέας ο — Erechtheus

Ερεχθείο και Ερέχθειο — Erechtheion

έρθω - έρθεις - έρθει - έρθουμε - έρθετε - έρθουν / έρθουνε — to come (subjunctive)

έριξα - έριξες - έριξε - ρίξαμε - ρίξατε - έριξαν / ρίξανε — to throw (aorist)

ερμηνεία η — interpretation

Ερμής ο — Hermes

Ερυμάνθιος — Erymanthian

Ερύμανθος ο — Erymanthos

έρχομαι - έρχεσαι - έρχεται - ερχόμαστε - έρχεστε - έρχονται — to come

Ερωτας ο — Love, Eros

Ερωτεύομαι - ερωτεύεσαι - ερωτεύεται - ερωτευόμαστε - ερωτεύεστε - ερωτεύονται — to fall in love

Ερωτευμένος - ερωτευμένη - ερωτευμένο — fallen in love (masc./ fem./ neut.)

ερώτηση η — question

εσείς - εσάς — you (plural)

Εσύ - Εσένα — You (singular)

Εσπερίδες οι — Esperides

έστειλα - έστειλες - έστειλε - στείλαμε - στείλατε - έστειλαν / στείλανε — to send (aorist)

Εστία η — Hestia, Fireplace

εστιατόριο το — restaurant

έσφιξα - έσφιξες - έσφιξε - σφίξαμε - σφίξατε - έσφιξαν — to tighten

Ετοιμάζω - ετοιμάζεις - ετοιμάζει - ετοιμάζουμε - ετοιμάζετε - ετοιμάζουν — to prepare

έτοιμος - έτοιμη - έτοιμο — ready (masc./ fem./ neut.)

έτσι — so

ετυμολογία η — etymology

ευγενικός - ευγενική - ευγενικό — polite (masc./ fem./ neut.)

Ευδαιμονία η — Bliss, Happiness

ευθεία η — straight

εύκολος - εύκολη - εύκολο — easy (masc./ fem./ neut.)

εύκολα — easy (adverb)

ευκολία η — convenience

ευλογημένος - ευλογημένη -

ευλογημένο — blessed (masc./ fem./ neut.)

εύρημα το - ευρήματα τα — findings

Ευριπίδης ο — Euripides

Ευρυσθέας ο — Eurystheus

ευρώ το — euro (coin)

Ευρώπη η — Europa

ευτυχία η — happiness

ευτυχώς — luckuily

εύφορος - εύφορη - εύφορο — fertile (masc./ fem./ neut.)

ευχάριστος - ευχάριστη - ευχάριστο — pleasant (masc./ fem./ neut.)

ευχαριστώ — Thank you

ευχή η — wish

έφαγα - έφαγες - έφαγε - φάγαμε - φάγατε - έφαγαν / φάγανε — to eat (aorist)

έφερα - έφερες - έφερε - φέραμε - φέρατε - έφεραν / φέρανε — to bring (aorist)

έφτασα - έφτασες - έφτασε - φτάσαμε - φτάσατε - έφτασαν / φτάσανε — to arrive (aorist)

έφυγα - έφυγες - έφυγε - φύγαμε - φύγατε - έφυγαν / φύγανε — to leave (aorist)

έχω - έχεις - έχει - έχουμε - έχετε - έχουν / έχουνε — to have

εχθρός ο — enemy

ευγενικά — politely, kindly

ζω - ζεις - ζει - ζούμε - ζείτε - ζούν(ε) / ζήσω - ζήσεις - ζήσει - — to live

ζεσταίνομαι — to warm up, to feel heat

ζέστη η — warmth, heat

ζεστό — warm (adjective)

ζευγάρι — couple

Ζηλεύω= to be jealous

Ζήνωνα — Zeno

ζητάω - ζητάς - ζητάει/ ζητά - ζητάμε - ζητάτε - ζητάνε — to ask for sth

Ζήτω — Hooray !

ζώο το - ζώα τα — animal, pet

ζωγραφιά η — painting

ζωή η — life

ζωντανός — alive

Ηηή

ή — or

ήδη — already

ήθελα — wanted (aorist)

ηθοποιοί — actors

ηλεκτρισμός — electricity

ηλεκτρονικό — electronic

ήλιος — sun

ημέρα — day

ημίθεα — demigods

Ημίθεος ο — Demigod

Ήμουν - ήσουν - ήταν - ήμασταν -

ήσασταν - ήταν — to be (aorist)

ήπια - ήπιες - ήπιε — to drink (aorist)

Ήρα — Hera

Ηρακλάκοooo — Little Hercules

Ηρακλάρα — Big Hercules

Ηρακλή — Hercules

Ηρακλή,πρόσεχε — Hercules, Be Careful

Ήρεμα — Calmly

ήρεμος - ήρεμη - ήρεμο — calm (masc. / fem./ neut.)

Ήρθε — to arrive (aorist)
Ηρόδοτος — Herodotus
ήρωας — hero
ηρωίδες — heroines
ήσουν — to be (aorist)
ήσυχα — peacefully
ησυχία — quiet
Ηφαίστου — Of Hephaestus
ήχος ο - του ήχου — sound
ηχώ ή - της ηχούς — echo

Θθ

θα — will
θάλασσα η — sea
θαλασσινό — of the sea (adjective)
θανάσιμος - θανάσιμη - θανάσιμο — deadly
θάνατος ο — death
θάρρος το — courage
θεά η — Godess
θέα η — view
θεάματα τα — spectacles
θέατρο το — theatre
θεέ — god ! (Vocative)
θεία η - της θείας - οι θείες - των θείων — aunt
θείος ο - του θείου - τον θείο - ω θείε — uncle
ήθελα - ήθελες - ήθελε - θέλαμε - θέλατε - θέλανε — to want (aorist)
θέλω - θέλεις - θέλει - θέλουμε - θέλετε - θέλουνε — to want
Θεμιστοκλής — Themistocles
θεός ο — god
θεραπεία η — therapy, cure
θεραπεύει — to cure
Θεραπευόμενος ο — healed one
θεραπευτής ο — healer
θερμοκρασία η — temperature
θερμόμετρο το — thermometer
θέση η — position
Θεσσαλονίκη — Salonica
θετός - θετή - θετό — adoptive (masc./ fem./ neut.)
θεώ — to God (dative)
θεωρώ — to believe, to conceive sth
Θήβα η — Thebes
θηρίο το - θηρία τα — beast
Θησέας — Theseus
Θησείο — Thission
θλίβομαι — to be sad, to grieve
θλίψη η — sorrow
θνητός - θνητή - θνητό — mortal
Θόρυβος ο — noise
θρησκεία η — religion
θρησκευόμενος - θρησκευόμενη - θρησκευόμενο — religious
θρόνος ο — throne
θύμα το — victim
θυμάμαι — to remember
ιάσιμος - ιάσιμη - ιάσιμο — curable
Ιατρός ο, η — medical doctor
ιδέα η — idea
ιδεολόγημα το — ideology
ίδια — the same (feminine)
ιδιαίτερα τα — tutoring lessons
ιδιαίτερη — special (fem.)

ιδιαίτερο — special (neut.)

ιδιαιτέρως — particularly, especially

ίδιος — the same (masculine)

ιδιωτικός - ιδιωτική - ιδιωτικό — private

ιερέας ο — priest

Ιερό το — Sanctuary

ιεροφάντης ο — hierophant

Ίκαρος — Icarus

Ιλιάδα — Iliad

ιμάτιον το — cloth

ίντερνετ — internet

Ιξέλ — Ixel

Ιόλαος — Iolaus

Ιούνιος — June

ίσα — equally

ισάξιες — equal (fem.)

Ισπανία — Spain

Ισπανικών — Spanish language

ιστορία η — history

ιστορικό το — the record, medical record

Ισχύω — to apply

ίσως — maybe

Κκ

κάβουρας ο — crab

καημένε — poor

καθαρά — clearly (adverb)

καθαρίζω - καθαρίζεις - καθαρίζει — to clean sth

καθαρίζομαι — to clean myself

καθαρός - καθαρή - καθαρό — clean (adjective)

κάθε — every

καθένας - καθεμία - καθένα — every (masc./ fem./ neut.)

καθηγητής - καθηγήτρια — professor, teacher

καθήκον το — duty

καθιερωμένη — established

καθίσουμε — to sit (subjunctive)

καθόλου — not at all

κάθομαι — to sit

καθυστερήσει — to have delayed

Καθώς — meanwhile

και — and

καινούριος - καινούρια - καινούριο — new (masc./ fem./ neut.)

καιρός ο — weather, time

καίω - καις - καίει - καίμε - καίτε - καίνε — to burn

κακά τα — poop

κακός - κακή - κακό — bad, evil (masc./ fem./ neut.)

Κακία η — Vice

καλά — well (adverb)

καλώ — to call

καλή — good (fem.)

καλός - καλέ — good (masc.)

Καλημέρα — Good Morning

Καληνύχτα — Good Night

Καλησπέρα — Good Afternoon

καλλιεργώ — to cultivate, to grow

Καλλιμάρμαρο — Panathinaic Stadium

καλός / καλοί - καλή / καλές - καλό / καλά — good (masc. / fem./ neut.)

καλοθρεμμένο — well - nourished, well

- fed

καλοκαίρι το — summer

καλύτερα — better (adverb)

καλύτερος - καλύτερη - καλύτερο — better (masc. / fem. / neut.)

κανένας/ κανείς - καμία - κανένα — no one, nobody (masc./ fem./ neut.)

έκανα - έκανες - έκανε — I / you / He - She - It did

κάναμε - κάνατε - έκαναν — we / you / they did

κάνε — Do ! (Imperative)

κάνω — to do

κανονικά — regularly (adverb)

κανονικός - κανονική - κανονικό — canonical, regular (masc./ fem./ neut.)

καπέλο το — hat

καπνός ο — smoke

κάποιος - κάποια - κάποιο — somebody (masc./ fem./ neut.)

κάπου — somewhere

Κάπρος ο — Boar

κάρα η — skull (sacred)

καράβι το — ship, ferry

καρδιά η — heart

καρπός ο — fruit

Καρυάτιδα η — Caryatid

Καρυές — ancient city Karyai near Sparta

κατά την / τον / το — according to, against

Καταγράφω — to record, to keep record

καταγωγή η — origin, ancestry

κατάλαβα - κατάλαβες — to understand (aorist)

Καταλαβαίνω — to understand

καταλάβει - καταλάβουν — to understand (subjunctive)

Κατάλογος ο — menu, catalogue

κατανάλωση η — consumption

καταναλωτής ο, η — consumer

Καταπίνω — to swallow

καταραμένος - καταραμένη - καταραμένο — cursed (masc. / fem./ neut.)

κατάσταση η — condition, situation

κατάστημα το — store, shop

καταστρέφω — to destroy

καταστροφή η — destruction

κατάφερα - κατάφερες - κατάφερε - καταφέραμε - καταφέρατε - κατάφεραν — to succeed (aorist)

κατεψυγμένος - καταψυγμένη - καταψυγμένο — frozen (masc./ fem./ neut.)

κατηγορία η — accusation

κατήγορος ο, η — prosecutor, accuser

κατηγορώ — to accuse sb

κατηφόρα η — downhill

κάτι — something

Κατοικία η — residence

κάτσω να - κάτσουμε να — to sit down (subjunctive of κάθομαι)

Κάτω — down

καφές ο / καφέ το — coffee/ coffeeplace

κάψω να - κάψεις να - κάψει να - κάψουμε να — to burn (subjunctive of καίω)

κενός - κενή - κενό — empty (masc./ fem./ neut.)

Κένταυρος — Centaur

κεντρικός - κεντρική - κεντρικό — central (masc./ fem./ neut.)

κέντρο το — centre

Κεραμεικός ο — Kerameikos neighbourhood of Athens

κεραυνός ο — thunderbolt

Κέρβερος ο — Cerberus

κερδίζω - κερδίζεις - κερδίζει - κερδίζουμε - κερδίζετε - κερδίζουν — to win

κεφάλι το — head

κεφτεδάκι το — meatball

κήπος ο — garden

κι — και + vowel — and

κιλό το — kilo

κινδυνεύω — to be in danger

κινηθώ - κινούμαι — to move (subjunctive of κινούμαι)

Κινηματογράφος ο — σινεμά το — movie theatre, cinema

κινητό το — mobile phone

κλαίω — to cry

κλασική — classical (fem.)

κλέβω — to steal - aorist : έκλεψα - κλέψανε

κλειδώνω — to lock

κλείνω — to shut down, to turn off, to close

κλέφτης ο — thief

κλέψω — to steal (subjunctive of κλέβω)

κλιματική αλλαγή — climate change

κλίμα το - κλίματος του — climate

κλοπή η — robbery, theft

ΚΛΠ — et cetera (also: και λοιπά / και τα λοιπά / κτλ)

κόβω - κόβεις - κόβει - κόβουμε - κόβετε - κόβουν(ε) — to cut

κοιμάμαι — to sleep

κοιμήθηκα - Κοιμήθηκες — to have slept (aorist)

κοιμόμουν — I was asleep (past continuous)

κοινά — common good, public affairs

Κοίταζε — was looking (past continuous)

κοιτάω - κοιτάς - κοιτάει - κοιτάμε - κοιτάτε - κοιτάνε — to look

κοίταξε ! — Look ! (imperative)

κοκακόλα η — coke

κόκκινος - κόκκινη - κόκκινο — red (masc./ fem./ neut.)

κολιός ο — mackerel fish

κολλητά — stuck together (adverb) / too tight (adjective)

κολοκυθάκια τα — zucchini

κόλπο το — trick

Κολώνα η - κολώνες οι — Column

κομμάτι το — piece

κομμάτια (τα) — pieces / too tired

Κομφούκιος ο — ο φιλόσοφος Confucius

κοντά — nearby, close

κοντεύω — to be near a spot, to arrive shortly

κόπος ο — bother, struggle

Κόρινθος η — Corinth

κορίτσι το — girl

κορμί το — body

κορμοστασιά η — poise, build, posture

Κόσμος ο — World

κοστίζω — to cost

κουβέντες — conversations

κουζίνα η — kitchen

κούκλα η — doll, beautiful woman

κουλούρι το — bagel, simit cyclical snack

κουλτούρα η — culture, civilization

κουνούπι το — mosquitoe

κουράγιο το — Courage

κουράζω — to wear out, to cause fatigue

Κούραση η — fatigue
κουρασμένος — tired
κουράστηκα — to be tired (aorist)
κόψω — subjunctive of κόβω — to cut sth/ or on sth
κρασί το — wine
κρατάω — to hold on sth
κράτη — the states, the countries
κρέας το — meat
κρεατοφάγος η, ο — meat-eater
κρεβάτι το — bed
κρεμμύδι το — onion
κρίμα — pity
κριτική η — review, criticism
κρύβεται - κρύβομαι — to hide away
κρύο το — cold
κρυφά — secretly
κρύφτηκε — to hide away (aorist)
Κρυώνω — to feel cold
κτήριο το — building
Κύκνος ο — Cygnus
Κυνηγάω — to hunt after, to chase
κυνήγησες — you hunted
Κυρία — Lady, Ms.
Κυριακή — Sunday
Κύριε — Lord, Mr (Vocative)
κύριο — main
κυρίως — mainly

Λλ

Λάδι το — Oil
λάθη τα - λάθος το — mistake
λυπημένη — sad
λύση — solution

Μμ

Μα — but
μαγαζί το - μαγαζιά τα —
Μαγειρεύω — to cook
μας — us
Μάγια τα — spells
μαγικό το — magical
μαζεμένος - μαζεμένη - μαζεμένο — tidied up, gathered (masc./ fem./ neut.)
μαζεύω - μαζέψω — to pick up, to gather, to tidy up
μαζί — together
μαθαίνω - μάθω να — to learn
μάθημα το - μαθήματα τα — lesson
μαθηματικών — mathematics
μαθητής ο - μαθήτρια η — student (masc./ fem.)
Μαινόμενος — Furious
μακιγιάζ το — makeup
μακριά — away
μαλάκας ο — asshole (literally stupid, masturbator)
μαλθακός - μαλθακή - μαλθακό — soft one (masc. / fem./ neut.)
Μάλιστα — Indeed

μαλλιά τα — hair

μάλλον — rather, maybe

μαμά η — mom

μανδύας ο — cloak

μανία η — mania

Μαντείο το — Oracle

μάντης ο — fortune teller, oracle

Μαρία η

Μαρίζα

Μάρμαρα τα — the Marbles of the Parthenon

μάρμαρο το — marble

ματαίως — in vain

μάτι το - μάτια τα — eye

μαύρος - μαύρη - μαύρο — black

μάχη η — battle

με — with

μεγάλος / Μέγας - μεγάλη - μεγάλο — big/ Great (masc./ fem./ neut.)

μεγαλύτερη — bigger (fem.)

μεγαλώνω - μεγάλωσα — to grow up

Μεγάρα η — Megara

μέγεθος το — size

μεζές ο - μεζέδες οι — appetizers

μεθάω — to get drunk

μέιλ το — email

μένω — to stay, to live at a place

μείξη η — mix

μειώνω — to reduce

Μελαγχολώ — to depress

Μελέαγρος — Meleager

μελετημένη — educated, studied (for a woman)

μέλι το — honey

μέλλον το — future

μένα — me

Μενελάου — of Menelaus

μενού το — menu

μέντιουμ το — psychic, medium

Μέντορας ο — Mentor

μέρα η — day

μερίδα η — portion, share

μερικός - μερική - μερικό — some

μέσα — inside

μέση η — middle, waist

μεσημέρι το — noon, midday

μεσογειακός - μεσογειακή - μεσογειακό — mediterranean (masc./ fem./ neut.)

Μεσόγειος η — Mediterranean Sea

Μετά — after

μεταφορά η — transportation, metaphor

μεταφυσικά — metaphysically

μετρήσω — to count

μετρό το — subway

μέτρο το — meter

Μέτρον το — Metron

μέχρι — until

μη / μην — not (for an imperative)

Μηδέν — Zero

μήλο το — apple

μήπως — maybe

μητέρα η — mother

μητριά η — stepmother

μητρικός - μητρική - μητρικό — of the mother (masc. / fem. / neut.)

μηχάνημα το — machine

μία - μια — a (fem.)

μικρός - μικρή - μικρό — small (masc. / fem. / neut.)

μικρότερη — smaller (fem.)

μιλάω - μίλησα — to speak (present -

aorist)

μισώ - μισείς - μισεί — to hate

μισός - μισή - μισό — half

Μμμμ

μνημείο το — monument

μόδα η — fashion

μοιάζω - μοιάζεις - μοιάζει — to look like

Μόλις — Just (for time)

Μοναστηράκι το — Monastiraki, neighbourhood in Athens

μονάχα — only

μόνος - μόνη - μόνο — alone (masc. / fem. / neut.)

μονοκατοικίες — detached houses

μόνο(ν) — only

μονομάχησα — to fight alone with sb

μονομαχία η — duel

μοντέρνα — modern (fem.)

μου — my

μουντός - μουντή - μουντό — hazy (masc. / fem. / neut.)

Μουσείο το — Museum

Μούσα η — Muse

μουσική — music

μουσικός - μουσική - μουσικό — musical (masc. / fem. / neut.)

Μπα — Nah

μπαλκόνι το — balcony

ΜΠΑΜ — BOOM

μπαμπάς ο — dad

μπανάνα η — banana

μπάνιο το — bathroom, shower, a swim

μπαίνω - να μπω - μπείτε - μπήκα — to enter

μπερδεμένα — confused

μπερδεύω - μπέρδεψα — to confuse

Μπίνγκο — Bingo

μπισκότο το — cookie

μπλε — blue

μπλούζα η — shirt

μπλουζάκι το — t-shirt

μπορεί — maybe

μπορώ — I can

μπράβο — Well done !

μπράτσο το — arm, muscle

μπροστά — in front of

μυαλό το — brain

μυαλωμένος — sagacious, wise

μυθολογία η — mythology

μύθος ο — myth

Μυκήνες οι — Mycenae

μυρίζω — to smell

Μυστήριο το — mystery

μυστικό το — secret

μωλ το — mall

μωρή — colloquial, informal and offensive way to call a woman

μωρό το — baby

Νν

να — to

νά — Here ! (when pointing out a thing)

ναι — yes

Ναός ο — temple

νέα τα — news

νεκρός - νεκρή - νεκρό — dead (masc. / fem. / neut.)

Νεμέα η — Nemea

νέος - νέα - νέο — young, new (masc./ fem./ neut.)

νερό το — water

Νέσσος ο — Nessus

νεύρα τα — nerves, anger

νησί το — island

νικάω - νίκησα — to win

νόημα το — meaning, sense

νομίζω — I think so

νόμιμος - νόμιμη - νόμιμο — legal, lawful (masc./ fem./ neut.)

νόμος ο — law

Νοσοκόμα η — Nurse

Νοσοκομείο το — Hospital

νόστιμος - νόστιμη - νόστιμο — tasty

νους ο — mind

νούμερο το — number

ντομάτα η — tomato

ντουβάρι το — wall, sb stupid

Ντροπή η — Shame

ντυμένος - ντυμένη - ντυμένο — dressed (masc. / fem. / neut.)

ντύνομαι — to dress up

νύφη η — bride

Νύχτα η — night

νωρίς — early

Ξξ

ξάδελφος ο — cousin (masc.)

ξανα-αλλάζω — to change again

ξανακολλάω - ξανακολλήσω — to paste again, to put together again

ξεκινάω — to begin

ξεκούραση η — relaxation, leisure

ξένη - ξένος - ξένο — foreign (fem. / masc. / neut.)

Ξένιος — Zeus of the foreigners, of hospitality

ξενιτειά η — emigration

ξεριζωμός ο — eradication, displacement of a person

ξεροσφύρι το — dry, the act of drinking alcohol without food

ξέρω — to know

ξεφυσάω — to puff out

Ξεχνάω - ξέχασα — to forget

ξεχωρίζω — to stand out, to make out

ξημέρωμα το — dawn

ξημέρωσε ! — A new day has dawned !

ξύλα τα — wood

ξύπνα ! — Wake up ! (Imperative)

Ξυπνάω — to wake up

ξύπνημα το — the act of waking up

Οο

ο — the (masc.)

ό,τι — anything

ο,τιδήποτε — anything

Οβίδιος ο — Ovid

ΟΓΔΟΟΣ - ΟΓΔΟΗ - ΟΓΔΟΟ — Eighth

οδηγώ — to drive

Οδυσσέας ο — Odysseus

Οδύσσεια η — the Odyssey

οθόνη η — screen

Οι — The (plural fem. or masc.)

οίδα — to know

οικίσκος ο — little house, cottage

οικογένεια η — family

οικονομία η — economy

οίκος ο — house

οκτάωρη - οκτάωρος - οκτάωρο — eight hour (shift)

όλα — all

ολόκληρος - ολόκληρη - ολόκληρο — the whole

ολοκλήρωση — integration, fullfilment

ολομόναχος - ολομόναχη - ολομόναχο — all alone (masc./ fem./ neut.)

Ολυμπιακοί Αγώνες — Olympic Games

Όλυμπος ο — Olympus

Όμορφη — beautiful (fem.)

όμως — but

όνειρο το — dream

όνομα το — name

οπ — oops

Όπα ! — Gee ! Wow ! / Stop ! / Wonderful ! (colloquial expressing enthusiasm)

όπλο το — gun, weapon

οποίος - οποία - οποίο — which (masc. / fem. / neut.)

Όποιος - όποια - όποιο — whichever, any (masc. / fem. / neut.)

όποτε — whenever

όπου — wherever

Οπωροπωλείο το — Fruit store

Οπωροπώλης ο — green grocer

όπως — such as

οπωσδήποτε — anyway

οργανώνω — to organize

οργή η — anger, wrath

ορεκτικά τα — appetizers

όρεξη η — appetite

ορίζω — to set, to define

όριο το — limit

όρισε — Define, Appoint (imperative)

Ορίστε ! — Here you go ! (when handing out sth- or answering the phone)

όροφος - όμορφη - όμορφο — beautiful (masc. / fem. / neut.)

όσο — as much as

Όταν — when

ότι — that

ουδέν — none

ουρά η — tail

Ουρανός ο — sky

ουρλιάζω — to scream

Ουστ — Oust ! Shoo!

Ούτε — neither

Ουφ — Uh (exclamation of relief)

Όχι — No

Ππ

παγίδευσα - παγιδεύω — to trap

Παγκράτι το — Pankrati - Neigbourhood in Athens

πάω - πας - πάει - πάμε - πάτε - πάν(ε) — to go

παζάρι το — bazaar

πάθω - παθαίνω – to suffer, to endure sth

πάθος το - πάθη τα – suffering, passion

παιδαγωγός ο – pedagogue, teacher

παιδί το – child

παίζω - να παίξω – to play

παίρνω – to take, to get sth

παιχνίδι το – toy

παλάτι το – palace

παλεύω – to fight, to struggle

Πάλι – again

Παντρεύτηκα – I got married

πάμε ! – Let's go !

πάλη η – fight, struggle

παλιο- παιδο Κάβουρα - Ύδρα= bad filthy - kid Crab, Hydra (prefix that shows hostility)

πάντα – always

παράδειγμα το – example

παρακαλώ – please

παράλογος - παράλογη - παράλογο – irrational

παραπάνω – above

Πάρης ο – Paris

παλιά – old times

Παλιός - παλιά - παλιό – old (masc./ fem./ neut.)

παλλικάρι το – lad, brave young man, strong ephebe

παμφάγος ο – omnivorous

Παναγία η – Virgin Mary

πανέμορφη – gorgeous, all beautiful

πανί το – cloth

παντελόνι το – trouser

παντού – everywhere

παντρεμένος - παντρεμένη - παντρεμένο – married (masc./ fem./ neut.)

παντρεύομαι – to get married

πάντως – anyway

πάνω – up

παπα – Oh oh

παπούτσι το - παπούτσια τα – shoes

παραγγέλνω – to order

παραγγελία η – order (noun)

παραγωγή η – production

παραγωγικότητα η – productivity

Παράδεισος ο – Paradise

παράδοση η – tradition, delivery

παραείναι – to still be sth, to remain

παρακάτω – further below

παράλληλα – alongside

παραμυθάς ο – a story teller

παραμύθια τα – fairy tales

παράνομος - παράνομη - παράνομο – illegal

παραπονιέμαι – to complain

Παρασκευή =Friday

παράσταση η – performance, show

παρατσούκλι το – nickname

παραψυχολογία – parapsychology

Πάρε ! – Get it ! Here you go ! (imperative)

παρέα η – company, group of friends

παίρνω - να πάρω - να πάρουμε – to take

παρελθόν το – past

Παρθενώνας ο – Parthenon

πάρκο το – park

παρουσία η – presence

παρουσιάζω - να παρουσιάσω – to present, to show

πας - πάσα - παν – every (masc./ fem./ neut.)

Πάσχα το — Easter

πατάτα η / πατάτες — potato

πατέρας ο — father

πατρίδα η — homeland

πάτωμα το — floor

πάω - πάτε — to go

πεθαίνω — to die

πεθαμένος - πεθαμένη - πεθαμένο — dead (masc. / fem./ neut.)

Πέθανε — passed away, died (aorist)

πει — to say

πεινάω - πεινάς - πεινάει — to be hungry

πείνασα — I was hungry

Πειραιάς ο — Piraeus

πεις — you to say

Πελοπόννησος η — Peloponnese

Πέμπτη η — Thursday, the fifth

πέντε — five

πέπλο το — veil

πέρα — beyond

πέμπτος - πέμπτη - πέμπτο — fifth

περνάω - περνάει - να περάσω — to pass

περιγραφή η — description

περιγράφω — to describe

περίεργος - περίεργη - περίεργο — strange, weird

Περικλής — Pericles

Περίμενε ! — Wait ! (imperative)

περιμένω — to wait

περιοχή η — region, area

περίπου — about, more or less

περίπτωση η — case

περισσότερος - περισσότερη - περισσότερο — more (masc. / fem. / neut.)

περίτεχνος - περίτεχνη - περίτεχνο — elaborate

περπατάω — to walk

Περσεφόνη η — Persephone

πες — tell (imperative 2nd person)

πέφτω - να πέσω — to fall

πετάω — to fly

Πήγαινε — go (imperative 2nd person)

Πηγαίνω — to go

Πήγα - Πήγες - Πήγε — went (aorist of Πηγαίνω — to go)

πηγή η — source

Πήρα - πήρες - πήρε — took (aorist of παίρνω — to take)

πια — any longer, any more

πιάτο το — plate

πίνω - πίνεις - πίνει - πίνουν - να πιω - να πιεις - να πιούμε - να πιείτε — to drink

πιθάρι το — jar, pithos

πιο — more

πιστεύω - πίστεψε — to believe

πίσω — behind

πίτα η — pie, pita

Πιτθέας ο — Pitheas, grandfather of Theseus

Πιτυοκάμπτης ο — Pityokamptes, pine-bender, the isthimian outlaw killed by Theseus

πλαστικός - πλαστική - πλαστικό — plastic (masc./ fem./ neut.)

πλάτανος ο — plane tree

πλένομαι - πλένεσαι - πλένεται - πλενόμαστε - πλένεστε - πλένονται — to wash myself

πλένω — to wash

πλευρά η — side

πληθυντικός ο — plural

πληρώνω — to pay

πλοίο το — ship

Πνύκα η — Pnyx, hill in ancient Athens, where ekklesia met

πόδι το — foot

ποζάρει — to pose

Ποια - Ποιος - Ποιο — Which ? (fem./ masc./ neut.)

ποιητής ο - ποιήτρια η — poet (masc./ fem.)

Ποικίλη Στοά η — Painted Porch, in Ancient Athens, where Zeno taught Stoicism

ποικιλία η — variety (for food or other)

ποιότητα η — quality

πόλη η — city

πολεμώ - πολεμάς — to fight, to struggle

πόλεμος ο — war

πολιτισμός ο — civilization, culture

πολλά — many

πολύ — a lot (adverb)

πολυκατοικία η — apartment building

πολύς - πολλή - πολύ — much (masc./ fem./ neut.)

πολύσαρκος — hearty

πολυτέλεια η — luxury

πολύχρωμος - πολύχρωμη - πολύχρωμο — colourful

πονάω — to hurt, to be in pain

πόνος ο — pain

Πονοκέφαλος ο — headache

πόρτα η — door

πορτοκάλι το — orange

Πόσος - Πόση - Πόσο — How much ? (masc./ fem./ neut.)

Ποσειδώνας ο — Poseidon

ποτό το - ποτά τα — drink

Ποταμός ο — river

ποτέ — never

Πότε ; — When ?

ποτοαπαγόρευση η — prohibition

που — that

πού ; — where ?

πουθενά — nowhere

πουκάμισο το — shirt

πουλάω — to sell

πουλί το — bird

πω - πούμε — to say (subjunctive of λέω — to say)

πουρές ο — puree, mushed potato

πράγμα το - των πραγμάτων — thing

πραγματικότητα η — reality

πρακτική η — practice

πραμάτεια η — merchandise

πράσινος - πράσινη - πράσινο — green (masc./ fem./ neut.)

πρέπει — should, must (impersonal verb, always 3rd person)

πριν — before

πρόβατο το — sheep

προβλέπω — to predict

πρόβλημα το — problem

προδίδω — to betray

προέρχομαι — to come from

προϊόν το — product

προκαλώ — to challenge

Προκρούστης ο — Procrustes, bandit near Dafni in Athens, killed by Theseus

προκύπτω — to arise from

προς — towards

πρόοδος η — progress

προσεκτικά — carefully

προσοχή — Caution

πρόσχαρη — happy, blissful

πρόσωπο το — face

πρόταση η — proposal

προτείνω — to suggest

Προτιμώ — to prefer

προχτές — day before yesterday

προχωράω — to move on

πρωί το — morning

πρωινό το — breakfast

πρώτα — first (plural neut.)

πρώτη — first (singular fem.)

Πυθία η — Pythia

πυκνός - πυκνή - πυκνό — dense, thick (masc./ fem./ neut.)

Πύλη η - Πύλες οι — Gates

πυρετός ο — fever

πυρωμένος - πυρωμένη - πυρωμένο — calcined, fired ut (masc. / fem. / neut.)

Πφφφφ — Umfff

Πω — Wow ! (in excitement or distress)

πωλητής - πωλήτρια — salesman - saleswoman

πως — that

Πώς ; — How ?

Ρρ

ρε — colloquial, informal and offensive way to call a man, and a woman - sometimes friendly

ρέστα τα — change (for money)

ρετιρέ το — penthouse

ρητά — explicitly

ρίζα η — root

ρίχνω - να ρίξω — to throw

ρόλος ο — role

ρόπαλο το — bat

ρούχο το - ρούχα τα — clothes

Ροχαλητό το — snoring

Σσ

Σάββατο το — Saturday

σαγανάκι το — fried cheese

σάντουιτς το — sandwhich

σας — your (plural)

σε — in

σειρά η — series, sequence, order

σειρήνα η — siren

σέλφι η — selfie

σεμνά — in modesty

σένα — to you (singular accusative)

Σεπτέμβριος — September

Σερβιτόρος - Σερβιτόρα — waiter - waitress

σηκώνω — to lift up

σημαίνω — to mean

σημαντική — important (fem.)

σημασία η — importance, meaning

σήμερα — today

σημερινή — of today (fem.)

Σία — Sia (name from Aspasia)

Σιγά - Σιγά — slowly, pacefully

σιγουριά η — confidence

σίγουρος - σίγουρη - σίγουρο — sure (masc./ fem./ neut.)

σίδερο το - σίδερα τα — iron / jail

σιέστα η — siesta nap

σινεμά το — cinema, movie theatre

σκάω - να σκάσω — to pop, to burst

σκέτος - σκέτη - σκέτο — plain

σκεύος το - σκεύη τα — utensil, vessel

σκέφτομαι — to think

σκέψη η — thought

σκηνοθέτης ο — director

Σκίρωνας ο — Skiron,thief from Corinth, killed by Theseus

σκίζω - να σκίσω — to tear up

σκοντάφτω — to stumble

σκοπός ο — purpose, goal

σκόρδο το — garlic

σκοτάδι το — darkness

σκυλί το — dog

σου — your (genitive singular, shows ownership)

σουβλάκι το — souvaki

σουπερμάρκετ το — super market

σουσάμι το — sesame seed

σοφία η — wisdom

Σοφία η — Sophia (name of woman)

σοφός - σοφή - σοφό — wise (masc./ fem./ neut.)

σπανάκι το — spinach

σπανακόπιτα η — spinach pie

Σπίτι το — house

σταυρός ο — cross

στέκομαι - στέκεται — to stand

στέλνω - στέλνει — to send

στενοχωρημένη — sad (fem.)

στην — at the (fem.)

στιγμή η — moment

στο — at the (neut.)

Στοά η — Stoa

στολίδι το - στολίδια τα — ornament

στόμα το - στόματα τα — mouth

στομάχι το — stomach

στον — at the (masc. singular)

στους — at the (masc. plural)

στρατηγική η — strategy

στρατιώτης ο — soldier

στρογγυλός - στρογγυλή - στρογγυλό — round (masc./ fem./ neut.)

συγγενείς οι — relatives

Συγγνώμη — I am sorry

σύγχρονος - σύγχρονη - σύγχρονο — modern (masc./ fem./ neut.)

συγχωρώ - συγχωρείς - συγχωρεί — to pardon, to forgive

συζητάω - συζητάς - συζητάει — to discuss

σύκα τα — figs

συμβαίνει — to happen

σύμβολο το — symbol

Συμβουλή η — advice

συμπτώματα τα — symptoms

σύμφωνα με — according to

Συμφωνώ — to agree

Συνοικισμός ο — settlement

συναυλία η — concert

Συνάχι το — sniffle, hay fevefr

συνδυάζεται — combines

συνέρχομαι - να συνέλθω — to come together

συνέπεια η — consequence

συνέχεια — all the time, continuity

συνεχίζω — to continue

συνεχώς — constantly

συνηθίζω — to get used to sth

συνηθισμένος - συνηθισμένη - συνηθισμένο — usual (masc./ fem./ neut.)

συνήθως — usually

συννεφιά η — cloudy weather

συνοδεύω — to accompany

συνοικία η — district, neighbourhood

Συνταγή η — recipe

σύνταξη η — pension

συντομότερο — the sooner

συντροφιά η — company

συσκευή η — device

συχνά — often

σφίξιμο το — tightening

σχεδιάζω — to plan

σχέδιο το — plan

σχεδόν — almost

σχέση η — relationship

σχιστό το — slit

σχολείο το — school

Σωκράτης ο — Socrates

σώμα το — body

σώσε ! — Save ! (imperative)

σώζω — to save

Σωστά — Correct / Correctly

σωστή - σωστός - σωστό — correct (fem./ masc./ neut.)

σώφρων — wise

Ττ

Τα — the (neut. article plural)

ταβέρνα η — tavern

ταινία η — movie

τακτοποιημένα — in order, neat

τάξη η — order

ταξί το — taxi

ταξιδεμένος - ταξιδεμένη - ταξιδεμένο — traveled (masc./ fem./ neut.)

ταξίδι το — trip, journey

ταράτσα η — terrace

τάχα — supposedly

ταχύτητα η — speed

τείχος το - τείχη τα — walls

Τέλεια — Perfect

τελειώνω — to finish

τελευταία — last

Τελικά — Finally, After all

τέλος το — the end

Τελοσπάντων — After all, Anyway

τεμπέλης - τεμπέλα - τεμπέλικο — lazy (masc./ fem./ neut.)

τεντώνω - τεντώνομαι — to tighten up, to stretch sth - to stretch oneself

τέρας το — monster

τέσσερα — four

Τετάρτη η — Wednesday

Τέτοια - τέτοιος - τέτοιο — such, of this kind (fem./ masc./ neut.)

τετράδραχμο το — 4 drachma coin

τέχνη η — art

τεχνολογία η — technology

τζατζίκι το — tzatziki yia filakia

τζην το — jeans

τζιν το — gin

τη - την — the (fem. singular article)

τηγανιτός - τηγανιτή - τηγανιτό — fried (masc./ fem./ neut.)

τηλεοπτικός - τηλεοπτική - τηλεοπτικό — of the television (masc./ fem./ neut.)

τηλεόραση η — television, xazokouti

τηρείται — adheres

της — of the (fem. singular genitive)

Τι ; — What ?

τι-σερτ — t-shirt

τιμάω - τιμάς - τιμά — to honour

τιμή η — honour/ price (noun)

τιμωρώ — to punish

τιμωρία η — punishment

Τίποτε / Τίποτα — Nothing

τις — the (fem. plural accusative)

το — the (neut. singular)

Τοιχογραφία η — mural, wall painting

τοίχος ο — wall

τόλμη η — boldness

τομάρι το — pelt, animal skin

Τον — the (masc. singular accusative)

τόξο το — bow

τοποθετημένος - τοποθετημένη - τοποθετημένο — placed (masc./ fem./ neut.)

τόπος ο — place

τόσο — as much

τότε — then

Του — of the (masc. singular genitive, shows ownership)

τουαλέτα η — toilet

Τουρισμός ο — tourism

τουρίστας ο — tourist

τους — the (masc. plural accusative(

τραβάω - να τραβήξω — to pull

τραγωδία η — tragedy

τραπεζαρία η — dining room

τρεις — three

Τρελά — crazy (adverb)

τρελαίνω - τρελάθηκα — to make sb crazy - I went crazy

τρελός - τρελή - τρελό — crazy (adjective)

τρελούτσικος — madcap

τρένο το — train

τρία — three

τρίαινα η — trident

τριάντα — thirty

Τριήρης η — Trireme

τρικέφαλος — three headed

τρίτη — third (fem.)

Τροία η — Troy

Τροιζήνα η — Trizina

τρομάζω — to scare off

τρομάρα η — scare

Τρομερός - τρομερή - τρομερό — scary / awesome

τρόπος ο — manner, way

τροποποιημένος — modified

τρόφιμο το — food

Τρώω — to eat

τσαντισμένος — pissed off

τσεκούρι το — ax

τσιμεντένιος — concrete

Τσίου — bird chirp

τυλίγω — to wrap

τυλιγμένα =m wrapped up

τυρί το — cheese

τυρόπιτα η — cheese pie

τυχερός - τυχερή - τυχερό — lucky

τω Θεώ Δόξα — Glory Thank God

των — of the (masc./ fem./ neut. genitive plural)

τώρα — now

Υυ

υγειά η — υγεία η — health - To our health — Στην υγειά μας

υγιής - υγιής - υγιές — healthy (masc./ fem./ neut.)

Ύδρα η — Hydra

υπακούω — to obey

υπάρχω - υπάρχεις - υπάρχει - Υπήρχαν - υπήρχε — to exist

υπερβολή η — exaggeration

υπερβολικός - υπερβολική - υπερβολικό — exaggerated (masc./ fem./ neut.)

υπηρετώ — to serve

ύπνος ο — sleep

υπνοδωμάτιο το — bedroom

υποδηματοποιείο το — shoemaker's place

υποδηματοποιός ο — shoemaker

υποκειμενικός - υποκειμενική - υποκειμενικό — subjective

υποκοριστικό το — diminutive

υπομονή η — patience

υποταγή η — submission

υποψία η — suspicion

Φφ

φάω - φάμε - έφαγα - φάγαμε — to eat (subjunctive - aorist)

φαγητό το — food

φαίνομαι - φαίνεται — to seem, it seems

φαινόμενα τα — phenomena

φαντασία η — imagination

φάρμα η — farm

φάρμακο το — medicine

φέρνω - φέρε - φέρουμε — to bring - bring (imperative)

Φέτα η — feta

φεύγω — to leave

φήμες οι — rumours

φιδάκι το — little snake

φίδι το — snake

Φιλάκια — Kisses !

Φίλιππος ο — Philipp

φιλμ το — film

φιλόξενος - φιλόξενη - φιλόξενο — welcoming, showing hospitality

φιλοξενία η — hospitality, the love of strangers

φίλος - φίλη — friend - friend

φιλοσοφία η — philosophy

φιλόσοφος ο - φιλόσοφος η — philosopher

φίλτρο το — filter

φοβάμαι — to be afraid of sth

φοβερός - φοβερή - φοβερό — awesome, fearful (masc. / fem./ neut.)

φόβος ο — fear

φορά η — time

Φοράω — to wear

φόρεμα το — dress

φούρνος ο — bakery, oven

Φρέσκος - φρέσκια - φρέσκο — fresh (masc./ fem./ neut.)

φρικτός - φρικτή -φρικτό — horrible

(masc./ fem./ neut.)

φρούτο το — fruit

φταίω — to blame

φτάνω — to arrive

φτερό το - φτερά τα — wing

φτηνός - φτηνή - φτηνό — cheap (masc./ fem./ neut.)

φτιαγμένος - φτιαγμένη - φτιαγμένο — made up (masc./ fem./ neut.)

φτιάχνω — to make, to fix

φτύνω — to spit

φυγάς ο — flee, fugitive

φύλακας ο — guardian

Φυλακή η — prison, jailhouse

φυλακισμένος - φυλακισμένη - φυλακισμένο — prisoner

φυλάω - να φυλάξω — to keep sth, to save

φυλή η — race

φύλο το — sex

φύση η — nature

Φυσικά — Of course, Naturally

φυσικός - φυσική - φυσικό — natural (masc./ fem./ neut.)

φυτρώνω — to sprout

φωλιά η — nest

φωνάζω — to shout

φωνή η — voice

φως το - φώτα τα — light

φωτεινά — bright (plural)

φωτιά η — fire

φωτογραφία η — photo

Χχ

Χαίρετε — Hello to you/ Greetings

Χαίρομαι — to be glad, to rejoice

Χαίρω — to be glad

χαλάω — to destroy, to spoil

χαλαρώνω — to relax, to loosen up

χάλια — a mess, it sucks

χαλκουργός ο — coppersmith

χαμηλά — low

χάνγκοβερ το — hangover

χάνω — to lose

Χάος το — chaos

χαρά η — joy, bliss

χαρακτήρας ο — character

Χάρηκα — Nice to meet you !

χάριν — for the sake of sb/sth

χαρούμενος - χαρούμενη - χαρούμενο — happy (masc./ fem./ neut.)

χάσαμε — we lost

χειμώνας ο — winter

χειρότερος — worse

χελώνα η — tortois

χέρι το — hand

Χθες — yesterday

χιτώνα — tunic

χλαμύδα η — toga

χοντρός - χοντρή - χοντρό — fat, thick (masc./ fem./ neut.)

χοντρούλα — fatty (showing affection)

χορεύω — to dance

χόρτα τα — greens

χορτοφάγος ο — vegetarian

χρειάζομαι — to need

χρήματα τα — money

χρήση η — use

χρήσιμη — useful (fem.)

χρησμός ο — oracle

Χριστούγεννα τα — Christmas

χρόνια τα — years

χρόνος ο — time

χρώμα το — colour

Χτενίζω — to comb

Χτες — yesterday

χτένισμα το — hairstyle

Χτυπάω — to beat, to knock

χώμα το — soil

χώρα η — land, country

χωριό το — village

χωριάτικη η — a type of tomato salad, "of the village"

χωρίς — without

χωριστός - χωριστή - χωριστό — separate (masc./ fem./ neut.)

χώρος ο — space

Ψψ

ψαράς ο — fisherman

Ψαρεύω — to fish

ψάρι το — fish

Ψάχνω — to look for sth, to search

ψέμα το — lie

ψευδές - ψευδή — false

ψεύτης — a liar

ψηλά στον ουρανό — high up (adverb) in the sky

ψήνω — to bake

ψηφίζω — to vote

ψυχαναλυτικός - ψυχαναλυτική - ψυχαναλυτικό — psychoanalytic (masc./ fem./ neut.)

ψυχή η — soul, psyche

ψυχραιμία η — composure, calmness

ψωμί το — bread

Ωω

Ω — Oh

Ω-πα — Oh okay, Opa

Ωδείο το — Coservatory, Odeon

ώρα η — time, hour

Ωραία — Nice (adverb)

ωραίος - ωραία - ωραίο — nice (masc./ fem./ neut.)

Ωρέ — Hey (showing hostility)

ωφελεί — benefits

Ωχ — Oh (showing pain)

Ωχού — Oh (showing pain/ fear)

Ωωωωω — Oh my